中学校国語科

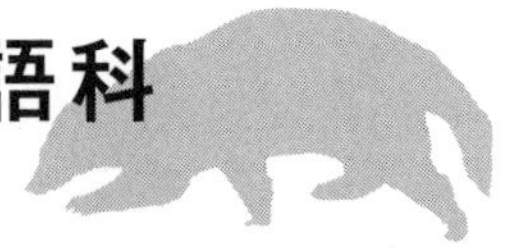

「言葉による見方・考え方」を
鍛える

小説・説明文・論説文の「読み」の授業と教材研究

「読み」の授業研究会・関西サークル 著

明治図書

はじめに

中学校学習指導要領（平成29年告示）の三年「読むこと」は、指導事項として文章を批判的に読むことを掲げている。義務教育の最終段階で、小説や説明文・論説文を批判的に読めることが求められているのである。そのためには、内容をきちんと読みとれることは当然のこととしてある。その上で、小説や説明文・論説文を相対化する力、書かれている内容を突き放して見る力が求められる。そしてもう一つ、作品や文章のよいところを見出し、また疑問や不十分なところを検討し、評価する力が必要となる。

国語の授業を楽しくする秘訣は、小説や説明文・論説文の読み方を生徒自身のものとしていくことである。教師が一方的に説明するのではなく、授業の中で生徒たちが読むための方法を見出し、使っていけるようにするのである。「主体的・対話的」な授業は、その中で生まれてくる。

本書は、第一章理論編で中学の小説と説明文・論説文の読み方の基本を述べている。読み方を生徒自身のものとしていくことが、「言葉による見方・考え方」を働かせ、鍛えることにつながる。読み方を学び、身につけることで生徒は国語の授業で何を学んでいるかに意識的になり、論理的な思考力が身についていく。教材ごとに違う読み方をしていては、教師の指示待ちから抜け出せず、生徒の読みの力は鍛えられていかない。第二章は、実践編である。十七教材について、「深い学び」につながる教材研究を示している。生徒たちが国語の学習のつながりを意識できるように指導していくことで、「言葉による見方・考え方」を鍛え育んでいくことができる。本書は、その道筋を示している。

二〇二一年五月

加藤　郁夫

目次

第二章 実践編 「言葉による見方・考え方」を鍛える教材研究と授業づくり

第1節　「言葉による見方・考え方」を鍛える授業づくり

中学校学習指導要領（平成29年告示）は、国語科の教科目標を次のように述べている。

> 言葉による見方・考え方を働かせ、言語活動を通して、国語で正確に理解し適切に表現する資質・能力を次のとおり育成することを目指す。

さらに、「言葉による見方・考え方」について、解説編で次のように述べる。

> 言葉による見方・考え方を働かせるとは、生徒が学習の中で、対象と言葉、言葉と言葉との関係を、言葉の意味、働き、使い方等に着目して捉えたり問い直したりして、言葉への自覚を高めることであると考えられる。（中略）国語科においては、言葉を通じた理解や表現及びそこで用いられる言葉そのものを学習対象としている。このため、「言葉による見方・考え方」を働かせることが、国語科において育成を目指す資質・能力をよりよく身に付けることにつながることとなる。

国語科の教材は、文学作品（小説）と説明的文章（以下、説明文・論説文）の二つに大きく分けられる。「言葉による見方・考え方」を鍛えるためには、まずジャンルの違いを意識することが必要である。

二者は、どのように異なっているのか。小説は、書いた人を作者という。説明文・論説文は、筆者である。似たような言葉だが、大きな違いがある。小説は、虚構であり、現実の話ではない。それに対して説明文・論説文は、現実の一部を文章にしたもので筆者が述べている。一方、小説の中に「私」が登場しても、それは作者ではなく、架空の「語り手」という存在である。

説明文・論説文は、〈はじめ〉で問題を提示する。どのようなことを述べようとするのか、おおよその方向性を最初に示す。読者は、それを念頭に読み進めていくので、文章の展開がわかりやすい。小説は逆である。

この先どうなっていくか、話の展開が見えないことで、読者を小説の中に引き込んでいく。

説明文・論説文では「はじめ―なか―おわり（序論―本論―結び）」の三部構成が一般的である。しかし小説は、「はじめ―なか―おわり」ではとらえられない。小説では、中心となる人物に焦点を当てながら、どのような事件が起き（事件のはじまり）、どのように展開し、どこで大きく変化したか（クライマックス）を読みとることが重要になる。事件の展開こそが読みの中心になる。

小説にも基本的な読み方がある。読み方というと、型にはまったもので、誰もが同じことを読みとるようになると思う人がいるが、そうではない。読み方とは、生徒たちが小説世界に立ち向かうための手立てである。泳ぎのできない生徒をいきなりプールに放り込んで、自由に泳ぎなさいという教師はいない。泳ぎの基本を教えていく中で、生徒は泳ぎを身につけていく。小説の読みも同じである。基本を一つひとつ身につけていくことで、生徒の読む力が育ち鍛えられていく。

では、小説の読み方とはどのようなものだろうか。

まず、事件に着目する。どのような事件が起こり、どのように展開し、どの様になっていったかという、作品の大きな組み立てをとらえることである。そのためには、場面に分け、場面ごとのあらすじをおさえ、どの場面で一番大きく変わったかをとらえるようにしていく。これは、作品を構成・構造的にとらえることであり、全体を俯瞰的にとらえる力である。

次に、作品中のどの表現に着目するか、その観点がわかることである。もちろん、着目の観点といっても一つではない。人物像に関わるところ、作品の背景（時や場所など）に関わるところも大事である。表現技法が用いられているところも欠かせない。そのような着目の観点を身につけながら、さらにはその着目したところを読み深めることができるようにする。

さらに小説は、二通り三通りに解釈できるところにその面白さや魅力がある。説明的文章が一義的であるのに対して、多義的なのである。一つの表現が、肯定的にも否定的にも解釈できることもある。小説における多義性を読み解いていくことで、ものごとを複眼的に見る力が鍛えられていく。

これまで、ともすれば小説は道徳的に読まれてきた。そのことが作品の魅力を削ぎ落とし、小説の読解をつまらなくさせていた。小説の授業の最後は、感想を書かせて終わりではない。改めて作品を振り返り、工夫や面白さを積極的に評価する。また、作品を突き放してみたり、別の角度でとらえてみたりすることで、それまでとは違った見方ができないかを考える。それは小説の面白さを奪うものではなく、小説の工夫や仕掛けの面白さ、魅力の再発見につながる。

説明文・論説文の読解を通して鍛え育んでいく論理的な思考力には、大きく分けて二つある。

①情報を的確に読みとる力
②情報や書かれ方を吟味する力

①は、何が書かれているかを、正確に読みとる力である。文章全体の構成を把握することで、その文章が何について、どのように書かれているかといったことをとらえることができる。特に、問題提示をとらえることが、その要になる。問題提示の答えの読みとり、段落相互・文相互の関係をつかむことで、詳細に内容を理解することができる。

説明文・論説文は、現実の社会のさまざまなあり様や出来事、現象や本質などを説明したり、それに関わって筆者の意見を述べたりするものである。それゆえ、述べられていることが正しいことであるか、あるいはどの程度信頼できるのかといった、情報の確かさ（信頼度）が大事になる。それゆえ、そこで述べられていることを吟味できる力が重要となる。もちろん単純に真偽が決められるような問題ばかりではない。場合によれば、情報に対する態度を留保することも必要になる。述べられている情報やその書かれ方の検討を通して、情報への対し方や判断する力をつけていくのである。このような吟味の方法を学び、身につけていくことを通して、ほかの情報も吟味できるようになっていく。

「言葉による見方・考え方」を鍛える授業は、必然的に「主体的・対話的で深い学び」へとつながっていく。「主体的」とは、学びを生徒たちのものにすることである。読み方や書き方を身につけ、それを用いることができるようになってこそ、主体的な学びとなっていく。「対話的」であるためには、「対話」を引き出す学習課題が必須のものとなる。そのためには、教師の教科内容への深い理解が欠かせない。「深い学び」は、教材研究の深さがあってこそのものである。

最後に、実践編の書き方について付言する。場面分け・構造表・構成表は、板書に活用できるような書き方にしている。説明文・論説文の段落番号は、□で囲み、段落内の文番号は①②……のように○で囲んで区別した。3①は、3段落の1文目という意味になり、板書などの際に楽である。

第2節　小説の授業づくり　四つのポイント

1　場面と基本的な設定（時・場・人物）を読む

小説の場面は、時・場・人物の三つの要素で構成されるひとまとまりである。よって、場面が変わるというのは、時・場・人物のいずれかが変化することである。小説は、これらの変化に着目して場面分けをすることであらすじをつかんでいく。そして、場面に分けることを通して事件の展開を読んでいく。こうして作品全体の流れをつかむようにする。生徒にとって、初読の段階で小説の構造をつかむのは容易ではない。初めからクライマックスはどこか？　発端はどこか？　といった読み方ではなく、まず作品全体の内容をつかむのである。

場面分けは、行空きや番号で区切られているのであれば、それを優先すればよい。『少年の日の思い出』は行空きによって、主人である「私」が語り手となっている1場面と、客である「僕」が語り手となる2場面の二つに分かれる。このような形式によって分かれているところを生徒に意識させるのは大切なことである。行空きによる分かれ方を自覚することで、1場面の「私」と2場面の「僕」を同一人物と思い込むような誤解がなくなる。また、この行空きによる二つの場面の設定は、この作品が、1場面の「現在」に戻らない終わり方になっていることにも気づかせてくれる。その気づきは、1場面の役割は何かという、より深い読みへとつながる。また、この作品は2場面をさらに細かく分けることができる。「僕」が蝶集めを始めてエーミールと出会い、自分の蝶を彼に酷評された時と、それから二年が経った時の変化で分けることができる。さらに、「僕」がエーミールの部屋に入って彼の蝶を盗ってつぶしてしまうところと、「悲しい気持ちで僕は家に帰り……」以降で、場面分けが可能である。

随筆『字のない葉書』も、行空きによって二つの場面に分けられている。前半は、父が、当時女学生だった筆者に出し続けた、たくさんの手紙について書かれている。後半は、父が幼い娘に出すよう言いつけた葉書について書かれている。話の内容はそれぞれ個別性が強く、別々に分けて読むこともできる。しかし、この作品が二つの場面から構成されていることを確認することで、二つの場面を対比的に読む観点が生まれる。その読みによって、前半と後半の共通性や相違点が見えてくる。形式による場面分けの意識を持つことは大切である。

行空きなどが無い場合は、時・場・人物という要素によって場面分けをおこなう。分ける目安としては、時を意識し、場、人物の順で見ていく。『故郷』は、「私」が二十年ぶりに帰郷する場面から始まる。そこから「明くる日の朝早く」というところで、時間と場所がともに変化している。ルントーとの再会は、帰郷して四、五日が経過した「ある寒い日の午後」である。さらに故郷を離れるのは、再会から九日が過ぎた後で、再び船の中になる。こうした時や場の変化に着目した場面分けの作業によって、この物語は、「故郷」で起きたさまざまな出来事が、「私」の「帰郷」と「離郷」の間に挟まれる形で描かれていることが見えてくる。『走れメロス』は、メロスがシラクスの町中から王城へ、そこから妹のいる村へと、場の変化によって分けると展開がつかみやすい。また倒れたメロスが目を覚ますところは、時を基準にして分けることができる。最後に緋のマントを持ってくる少女の登場を一つの場面とすることも可能である。

導入部における時・場・人物の三要素を読むことは、小説の設定をおさえる上で、大事な読みの過程である。『少年の日の思い出』では、ランプが使われている。ランプという言葉は直接「時」を示さない。しかし、この言葉から電気が使われていない時代なのではないか、あるいは、まだ普及していないのではないかといった時代が読めてくる。また、夕方から夜の闇へと推移した時間の変化は、これから告白する内容の暗さをも暗示している。『故郷』も、旧暦から新暦にかわって間もない時代、近代から現代に変わろうとする不安定な時代である。季節は厳しい「真冬の候」である。この設定は、これから起こる事件の厳しさを予感させる。

『握手』の場は、上野公園にある西洋料理店である。当時の上野は東北の玄関口である。上野駅からルロイ修道士は仙台の修道院へと帰っていく。また、カナダ人であるルロイ修道士と日本人である「私」が再会するにふさわしい場所として西洋料理店が設定されていると読める。『トロッコ』（芥川龍之介）の冒頭は、「小田原・熱海間に、軽便鉄道敷設の工事が始まったのは、……」と、場所が初めに示される書き出しとなっている。設定された場は、言わば関東圏の外れである。主人公の良平は後に上京している。小田原・熱海間という設定は、後の上京へとつながるものといえる。

人物では、まず、どんな人物が出てくるのかを確認する。『少年の日の思い出』の「僕」は、蝶集めに熱情を注ぐ少年として設定される。集め始めてから二年経っても変わらぬ熱情で採集を続ける。「宝を探す人のように」蝶を追い、それを「宝物」といい、エーミールのものを「宝石」と呼ぶ。いかに「僕」が蝶に魅せられていたかがわかる。そして「僕」を、このように蝶集めに夢中な少年として強く設定することで、最後の場面での、蝶を一つひとつ粉々にしていく行為に、読み手は少年の大きな変化を読みとることになる。『走れメロス』は、導入部からメロスの人物像を読む。「邪悪に対しては人一倍に敏感であった」といった性格は、メロスが王城に乗り込んでいく行為へとつながっている。また「父も、母もない」という設定は、メロスが妹の結婚式のためにもどることに合理性を与える設定となっている。

このように小説は時・場・人物の設定を読むことが読みの基本となる。

2　構造を読む（構造よみ）

小説の構造を読むとは、作品の事件の流れを読みとることである。事件とは、小説の主要な一連の出来事のことである。小説は、人物相互の関係性や人物のものの見方の変化や展開によって事件が進んでいく。

しかし単に事件を読みとるだけではなく、クライマックスに着目し、そこに至るまでの事件の展開や深まりに気づかせていくことが、小説の構造を読みとるのに有効である。事件は、クライマックスに向かって進行していく。だからクライマックスを意識し、クライマックスまでの過程をもう一度振り返ることで、主要な事件がクライマックスに向かって展開していることが鮮明に見えてくる。またクライマックスの場所だけで考えるのではなく、作品全体の流れを意識して、変化を読むことも大事な視点である。そうすると事件の展開も容易に発見できるようになる。構造よみは、クライマックスを見つけて変化を読みとるほかに、発端、山場のはじまり、結末も見つけて、作品全体の構造をつかむことである。

構成よみは、作品の単純な組み立てを読みとることをいい、場面分けがこれに当たる。構造よみは、作品の内容により踏み込んだ複雑な読みのことをいい、事件の展開を考えながら発端やクライマックスを読みとることがこれに当たる。

構造よみは、作品を音読したり難語句について調べたりする表層の読みのあと、深層の読みの第一段階としておこなう。しかしいきなりクライマックスはどこかと発問をしても、数人の生徒しか理解できていない場合も考えられる。そうならないために、まず時・場・人物を手掛かりに場面分けをおこない、どの場面が最も大きく変化しているのかを読みとった後に、構造よみをおこなった方がわかりやすい。そして生徒自身の力で場面分けをおこない、発端やクライマックス等の作品全体の構造を読みとる力をつけていく。

小説の構造表を、次に示す。

○冒頭　作品のはじまり
〈導入部〉
○発端　事件のはじまり
〈展開部〉
○山場のはじまり　クライマックスを含む場面のはじまり
〈山場の部〉
◎クライマックス　事件が、最も大きく変化・確定するところ
○結末　事件の終わり
〈終結部〉
○終わり　作品の終わり

冒頭から終わりまでを右のように四つの部（導入部・展開部・山場の部・終結部）に分ける。

発端の指標は、次の四つである。

① 主要な事件がはじまるところ
② 日常から、非日常に変わるところ
③ 主要な人物の出会いがはじまるところ
④ 説明的な書かれ方から描写的な書かれ方に変わるところ

クライマックスの指標は、次の二つである。

① 事件が大きく変化・確定するところ

② 描写の密度が濃く、緊張感が最も高まるところ

発端やクライマックスを検討し、作品の構造を読みとることで、次の三つの力をつけていく。一つ目は、作品全体の事件の流れを理解し、全体を俯瞰することができる力である。二つ目は、作品の大きな仕掛け（変化・繰り返し・対応・伏線・暗示・象徴等）が把握できる力である。三つ目は、次の形象よみで、読むべき箇所を生徒自身で発見できる力である。

構造よみで大切なことは、クライマックスを読みとることだけではなく、クライマックスで何が変わったかということを読みとることである。

小説の構造は、「導入部—展開部—山場の部—終結部」の四部構造が基本である。この基本の構造をおさえることで、それ以外の構造もわかりやすくなる。それ以外の構造は、「導入部—展開部—山場の部」の三部構造、「展開部—山場の部—終結部」の三部構造、「展開部—山場の部」の二部構造である。

発端やクライマックス等を読みとった後、構造表にまとめて作品全体の構造を確認する。

3　形象を読む（形象よみ）

形象とは image（イメージ）の訳語であり、心に思い描く姿や形のことである。小説の形象を読むとは、書かれてある言葉や文を手掛かりにしながら、書かれていないことを読みとることである。また、作品に隠された意味や仕掛けを発見することでもある。

形象を読むには、二つの段階がある。一つ目は、読みとるべき言葉や文を見つけることである。二つ目は、それらの言葉や文を文脈と関わらせて読み深めていくことである。

展開部以降は、主として三つの観点をもって読み進める。第一は、事件の変化を読む。構造よみで明らかになったクライマックスに着目し、そこに至るまでの、事件が変化していくところを読んでいく。『星の花が降るころに』のクライマックスは、「どちらだっていい。大丈夫、きっとなんとかやっていける。」である。「私」が夏実との関係修復にこだわることから抜け出すところである。そこから、小説の初めで「私」は、夏実をどのようにとらえていたか、どうしたいと思っていたか、またそれが変わるきっかけはどこにあったのか……と事件の変化の節目が見えてくる。第二は、繰り返されているところを読む。『故郷』のヤンおばさんとの再会の場面では、「コンパス」という言葉が四回使われる。最初はヤンおばさんの外見の喩として用いられ、後では換喩として用いられる。そこから「私」がヤンおばさんをどのように見ているかが読みとれる。第三は、普通とは違う表現を読む。『少年の日の思い出』で「僕」がエーミールの部屋に入りクジャクヤママユを見たとき「四つの大きな不思議な斑点が～僕を見つめた」と擬人法が用いられる。クジャクヤママユを見たのは「僕」であるにも関わらず、蝶の方から見つめられたかのように表現することで、「僕」がクジャクヤママユに一瞬で魅せられたことが表現される。

次に、形象を読み深めていくための方法として五つ述べる。

① 言葉の意味にこだわって読む

『故郷』は、冒頭「厳しい寒さ」「真冬の候」と季節が示される。たまたまそういう時期に故郷に帰った、で済ませてはならない。寒さが強調されることにこだわるのである。寒いのは、外気だけではない。帰郷する「私」の心の寒さもある。また、語られる話の「寒さ」もあるかもしれない。さらには故郷、ひいては中国が置かれている状況の「寒さ」とも読める。一語一句にこだわることが読みを深めていく。

② 他の言葉や表現と比べて違いを読む

『星の花が降るころに』では、人物の呼称が夏実は呼び捨て、戸部君は君付けである。夏実と呼び捨てにすることで、「私」と夏実が親密な関係であったことがわかる。また戸部君と君付けにしていることで、「私」と戸部君の間に少し距離があることが見えてくる。これが「夏実ちゃん」「戸部」だったらどうだろう。「私」との関係は全く違ったものになってしまう。他の言い方や、その言葉をなくしてみて、その違いから読み深めるのである。

③ 情景描写を読む

情景描写は、ストーリーの展開には関係がなく、あまり意味があるようには思えない。しかし、それは違う。情景描写は、人物の心情や場の状況を表現する。『トロッコ』（芥川龍之介）の、良平が憧れていたトロッコを押して坂を登るところで「そこには両側のみかん畑に、黄色い実が幾つも日を受けている。」と語られる。黄色い実が日を受けて輝いている様子は、それを見ている良平の気持ちを表す。そこから、トロッコを堂々と押せるうれしさや喜びが読めるのである。

④ 肯定・否定の両面を読む

『少年の日の思い出』の「僕」は蝶集めに出かけると、「学校の時間だろうが、お昼ご飯だろうが、もう〜耳に入らなかった」と語る。肯定的に読めば、一つのことに熱中する「僕」の性格が読めてくる。しかしそれは、「僕」が蝶集めのために学校をサボることもあったことを示している。蝶集めに熱中するあまり、他のことはいい加減にしていた「僕」のあり様が読めてくる。肯定的に読める場合は否定的にも読めないかと考え、否定的な場合は肯定的にはと考えるのである。

⑤ 立場を変えて読む

『走れメロス』でメロスの妹は、メロスから明日結婚式だと告げられ、頬を赤らめて兄の言葉を受け入れる。それ以上に妹の内面は語られない。妹の視点に立ったとき、予定より早く帰り、結婚式は明日だと告げ、自分はまたすぐに町に行かなければならないと語る兄はどのように見えたのだろうか。『少年の日の思い出』で、「僕」の言動はエーミールからはどのように見えただろうか。立場を変えることで、それまで見えていなかったものが見えてくる。

最後に、それぞれの言葉や文から読みとったことをまとめることが大切である。分析したものを総合するのである。作品全体の形象よみが終わると、「あらすじ」を一行程度でまとめさせるとよい。そうすることで、事件を概括できる。さらに、クライマックスや終結部で読みとったことを中心にして、作品全体を貫いている主題を読みとる。主題とは、物語の各場面の形象の重なりの中に見出される一貫性・統一性・法則性を持ったものである。分析的に読みとってきた形象の流れを総合し、そこにあるまとまりを見出すのが、主題を読むということである。

4　語り手（話者）を読む

小説は、虚構（フィクション）である。小説に登場する「私」は作者ではない。語る人を語り手（話者）という。語り手は、作者によって創られた架空の存在である。語り手を意識できることは、小説の虚構性を意識することにつながる。誰が語るのか、どのように語るかによって、語られる内容は変わる。語り手は、小説を根本で支える重要な存在といえる。

作者と筆者の違いは、はじめの段階でしっかりと確認しておきたい。なぜ、小説では作者というのかということを生徒が説明できるようにし、小説の虚構性を意識できるようにしていく。その上で、小説には語り手がいること、作者と語り手とは、違うことを教える。作者と語り手の違いを説明する時に次のような例がわかりやすい。『吾輩は猫である』の作者は夏目漱石である。しかし、「吾輩」は夏目漱石ではない。語り手である「吾輩」は、苦沙弥先生の家の猫である。

語り手は、大きく一人称・二人称・三人称の三つに分けられる。小説の登場人物の一人が「ぼく」や「私」として語るのが一人称（一人称話者ともいう）である。小説には直接登場しない人物が、登場人物との間にある距離をおいて語るのが三人称（三人称話者）である。登場人物の一人を「あなた」や「おまえ」といった呼び方で語るのが二人称である。二人称の作品は少なく、中学の教材ではほとんど見ることはない。まずは、語り手における一人称と三人称の違いをしっかりと読み分けられるようにしたい。

一人称は、語り手の内面はくわしく語ることができるが、他の人物の内面を語ることはできない。また、一人称の語り手の場合、「ぼく」や「私」の目を通して語られることで、語られる内容が語り手に寄り添ったものとなり、主観的になる傾向がある。そして語ることができるのは、「ぼく」や「私」が見たことや聞いたことに限定される。場合によれば、語り手にとって都合のよいように語られることさえある。『少年の日の思い出』の「僕」は、エーミールについて「非の打ちどころがないという悪徳」を持っていたと語る。このエーミール像は、どう見ても客観的とはいえない。

三人称は、一人称と比べて、より客観的といえる。ただ、三人称の語り手と登場人物との距離のとり方によって語り方は変わる。語り手が誰に寄り添っているか、あるいは寄り添っていないか（語り手と登場人物との距離）を見ていくことが大切である。三人称の語り手では、誰に寄り添っているか、どのような視点から語っているかというところに注意することで、〈語り〉の特徴が見えてくる。

小学校段階では、三人称の作品が圧倒的に多い。高学年になって、『帰り道』（光村図書小学6年）、『ヒロシマのうた』（東京書籍小学6年）など一人称の作品が一、二作品登場するくらいである。中学では、一人称の作品と出会う頻度が高くなる。本書第二章の小説のうち五作品が一人称であることを見てもそれがわかる。

一人称の語り手、といっても〈語り〉のあり様はさまざまである。三年間の小説の学習を通して、〈語り〉の違いを意識できるようにしていけるとよい。一人称の作品の多くは、自分のことを語っている。『坊っちゃん』では、「俺」が松山の中学校に赴任しての騒動の顛末が主として語られる。『星の花の降るころに』は、「私」が友人との関係にこだわる姿が語られる。『故郷』は、「私」が二十年ぶりに故郷に帰る話である。それらに対して『握手』の「わたし」が語るのは、ルロイ修道士のことである。「わたし」の今はほとんど語られず、ルロイ修道士の生き様や考えが語られる。そこからなぜ「わたし」はルロイ修道士のことを語るのかを考えることが求められる。『盆土産』は、一人称でありながら「ぼく」「私」といった自称が全く使われない。それどころか、地の文の語り口や語られる内容は小学3年生に語れるものではない。そこからこの語り手のあり様やなぜ語るのかが見えてくる。

三人称には、限定視点・全知視点・客観視点の三つがある。語り手が、特定の人物に寄り添い、その人物の心情のみを語るのが限定視点である。それに対して、語り手が複数の登場人物の心情を語る場合を全知視点という。客観視点は、語り手が登場人物の誰からも距離を置き、客観的に語るものである。『トロッコ』（芥川龍之介）、『形』（菊池寛）など三人称限定視点の作品は多い。『走れメロス』は、メロスの心情と王の心情を語っているので、三人称全知視点になる。複数の人物の心情などが語られるので、神の視点といったりもする。限定視点が特定の人物に寄り添うのに対して、複数の人物に寄り添うことから、全体的には客観的といえる。ただし、『走れメロス』は全知視点とはいうものの、語りのあり様は複雑で、どちらかといえばメロスに入れ込んだ主観的な語り手といえる。また、『高瀬舟』（森鷗外）は三人称限定視点で庄兵衛に寄り添って語っているが、途中から庄兵衛は喜助の話の聞き手になり、その後再び庄兵衛に寄り添う語りになっている。

語ることができるのは、語る内容から一定の時間的隔たりを置いているからである。目の前で起きている出来事は、実況できたとしても、まとまりを持った話として語ることはできない。語られることは、語り手の過去に属し、すでに終わっている事件だから、語ることができるのである。だからといって、語り手が語っている今の時間が常に示されるわけではない。『少年の日の思い出』のように語りの今（大人になった「僕」が語っている）を示す作品とそうではない作品がある。また、語りの今の時点から振り返るように語られる作品とそうではない作品とがある。『故郷』は、「私」の帰郷から出郷までを描いているが、その時その時の「私」の思いや考えを語り、後から振り返る語り方はしていない。

第3節 説明文・論説文の授業づくり　四つのポイント

1 文種と型・タイプ

説明的文章は、社会に広がるさまざまな情報をわかりやすく叙述する説明文と、それに関わって筆者独自の考えを述べる論説文の二つに分けることができる。文種を見分けることで、文章のどこに眼を付ければよいか、何を目的に読んでいけばよいか、内容をどう評価すべきかといったことが明確となり、その文章に対するより深い学びへと進む読みが可能となる。説明文なら説明されていることがわかるかどうかを説明の仕方を含めて読んでいく。論説文では論理の展開を追い、筆者の考えをつかみ、それに対する自分の考えを持って最終的には意見文を書けるようにする。

説明文では、まず何を説明している文章なのかを正しくつかむことが大事な読みの過程となる。書かれてある情報を的確に読みとる力を身につけることが説明文読解の第一歩である。説明文は読み手の考えを積極的に求めるものではなく、あくまでわかりやすく伝えることが叙述の中心となる。『ダイコンは大きな根？』（光村図書1年）は、ダイコンの白い部分は何の器官なのかという問いを示し、野菜としてのダイコンの特徴を説き明かす説明文である。『私のタンポポ研究』も、都市部においてセイヨウタンポポよりも、雑種タンポポの方が多くなっている訳を、実験によって明らかにした説明文である。説明文の〈結び〉には筆者の感想や思い、呼びかけのような一言が添えられることが多い。それが筆者の結論・主張であると読んで、文種を論説文であると、とらえることのないようにしたい。

論説文は、ある事柄に関わって筆者が独自の考えを述べる文章のことで、筆者の考えと論理の展開を読んでいくことが求められる。論説文では筆者独自の考えについてどう考えるかという、自分の考えを持つことが要求される。論説文の指導にはその観点が必要になる。論説文は〈本論〉で事実を丁寧に説明し、それをもとに筆者独自の考えを述べる。あるいは、〈序論〉で筆者独自の考えを提示し〈本論〉で論証しようとする。常に〈結び〉に筆者の考えが述べられていると安易に判断しないことである。中学の説明的文章教材の多くが論説文である。

説明文・論説文の構成の基本は、「序論―本論―結び」の三部構成である。もちろん、すべてが三部構成になるわけではなく、「序論―本論」や「本論―結び」の二部構成となるものもあるが、〈本論〉のないものはない。〈本論〉が、説明文・論説文の叙述の要といえる。

文章の叙述は、時間の順序に沿った述べ方をしているものと、そうではないものの大きく二つに分かれる。時間の順序でないものは、さらに、「並列型」と「展開型」の二つに分かれる。並列型とは、〈序論〉の問題提示に対して、〈本論〉で複数の答えを並べて述べていくものである。小学校低学年の教材に多く見られる。並列型ではないものすべてを展開型と考える。展開型は、次の四つのタイプに分けることができる。

①帰結タイプ　問題提示に対する答えが、最終的に一つの答えに帰結するタイプ。『「言葉」をもつ鳥、シジュウカラ』は、シジュウカラがヘビに対して出す「ジャージャー」という鳴き声に注目し、それが意味のある「単語」になっているのではないかという仮説を立て、それを立証し、最後に結論を述べている。『クマゼミ増加の原因を探る』も、大阪でクマゼミが増加した理由を、仮説に基づき検証し、最後に結論を述べている。

②小問タイプ　小さな問いと答えという形を繰り返していくタイプ。『オオカミを見る目』は、〈序論〉の問題提示に最終的に一つの答えを与えているという意味では帰結タイプである。しかし、一つの問いを出してそ

れに答え、また別の問いを出してそれに答えるという述べ方を繰り返しており、構成の上では小問タイプ的といえる。中学の教材には、このタイプは少ない。

③付加タイプ　問題提示が文章全体に及んでおらず、問題提示の答えを述べた後に付加される部分があるタイプ。問題提示を〈序論〉ととらえ、それと直接対応していない部分を付加と考える。こう考えることで構成がとらえやすくなる。付加の部分は単なる付け足しではなく、むしろそこで、筆者の主要な考えを述べるものもある。『作られた「物語」を超えて』は典型的な付加タイプである。1段落の話題提示に関わる内容が7段落で終わり、8段落以降は人間の話に移行していく。ゴリラに対する誤ったイメージも、他人への誤解も、ともに人間が作った物語という点で共通だが、構成上の述べ方は付加タイプととらえる方がわかりやすい。

④結論提示タイプ　問題提示が結論になっており、〈本論〉でその理由を述べたり論証していくタイプ。このタイプは〈本論〉の論証が、どれくらい結論を支えているのかを読んでいくことが必要となる。『「不便」の価値を見つめ直す』は、世の中には不便であるからこそ得られる「不便益」という発想が求められるという筆者の考えを〈序論〉で示し、〈本論〉で具体例をあげながらその正当性を論証している。

すべての説明文・論説文がこの四つのタイプにあてはまるわけではない。タイプが混在するものもある。例えば『絶滅の意味』は、現代の絶滅の問題点について、三つの答えを並べて述べる。その点では並列型といえる。しかし、各〈本論〉の述べ方が、結論提示タイプであったり、小問タイプであったりする。指導は、四つのタイプに分類したり、それを生徒たちに教えていくことではない。四つのタイプは教材研究の中で、教師側が〈本論〉の展開を見分けていくための手立てとすればよい。

2 構成を読む（構成よみ）

構成よみとは、文章全体を「序論―本論―結び（はじめ―なか―おわり）」の三つに分けることを通して、文章全体を大づかみにすることである。構成概念としては、「序論―本論―結論」という方が一般的かもしれない。しかし「結論」には、「結論から述べると」「前提―結論」などといった使われ方があり、構成概念としての「結論」と混乱する恐れがある。それを避けるため、〈結び〉という用語を用いる。「序論―本論―結び（はじめ―なか―おわり）」は、次のように規定する。

はじめ・序論……問題提示や話題提示がある。
文章が何について述べようとするのかを大きく示す。問題提示が、問いの形で示されることも多い。
なか・本論……問題提示や話題提示にこたえて、具体的に説明や論証をおこなう。
おわり・結び……まとめ・結論などを述べる。
問題提示に対する答えをまとめたり、結論を述べたりする。また筆者の感想や補足、新しい問題提起を述べることもある。

構成よみでは、〈序論〉や〈結び〉がどこまでか、あるいはどこからかを決定することだけに目を奪われてはならない。「序論―本論―結び」の指標に基づき文章を読むことを通して、文章を俯瞰的にとらえるのである。問題提示がどこにあるか、それに対してどのように答えを述べているのか、さらにはどのようにまとめているのか、といったことを把握することが構成よみのねらいといえる。

説明文・論説文では、その文章が何について述べようとするかを最初に読者に伝えることが大切である。問題提示として文章の方向性がはじめに示されることで、読者は何を読みとればよいのかがわかり、読む構えを作ることができる。それゆえ、問題提示（話題提示）を明らかにしないまま〈序論〉がどこまでかを決めたとしても意味がない。〈序論〉がどこまでかを決定することは、問題提示（話題提示）を明らかにすることと一体のものである。

文章によっては、問題提示のないものもある。その場合、何について述べるかを大まかに示すことで、文章のおおよその方向が示される。それが話題提示である。〈序論〉がなく、題名が問題提示もしくは話題提示の役割をしている場合もある。『「正しい」言葉は信じられるか』は、題名が話題提示になっている例である。

〈結び〉では、①まとめ、②結論、③筆者の考え、④補足、⑤新しい問題提起といくつかの要素を述べている。ただし、すべての要素を述べているものでもなく、必ず述べる要素があるわけでもない。ある文章ではまとめだけ、別の文章では結論と新しい問題提起の二つの要素といった具合である。『誰かの代わりに』の〈結び〉では、まとめと補足を述べており、『君は「最後の晩餐」を知っているか』の〈結び〉では、まとめや結論はなく、読者への呼びかけを述べている。

〈結び〉は、まとめや結論などに示されるように、述べ方が抽象的になっていくところに一つの特徴がある。〈本論〉が具体的に述べられているのに対して、〈結び〉は一般的に、抽象的になる傾向がある。述べ方が、具体的なものから一般化されたものに変わることで、読者に文章が終わることを了解させる働きを持つ。これも〈結び〉をとらえる一つの特徴といえる。

〈結び〉は〈序論〉と照応させて読む。筆者の考えや補足、さらには新しい問題提起なども、〈序論〉との関係でとらえるとよい。問題提示とどのように照応しているのか、あるいはしていないのかという観点をもっておくのである。また、読み手が問題提示を意識することで、どこまでがそれに対する答えかもある程度明らかとなり、〈結び〉がどこからかも見えやすくなってくる。

「序論—本論—結び」を決定したら、次に〈本論〉をいくつかに分ける。〈本論〉を分けることは、〈本論〉がどのように述べているかを明らかにすることでもある。〈本論〉を分けることを通して、何を、どのように述べているのかをつかむのである。〈本論〉の分け方は、誰が分けても同じになるといったものばかりでない。何を基準にするかによっても変わってくる。『私のタンポポ研究』は、大きな問題提示に基づいて分けると〈本論〉は三つに分けることができるが、小さな問題提示に基づいて分けると〈本論〉は四つに分けることができる。

中学校では、「序論—本論—結び」の意味をしっかり理解できるようにしていく。そして、説明文・論説文の三部構成を、自分の力で読みとることができるようにしていく。また変則的な構成で、一見三部構成にうまく当てはまらないような文章であっても、「序論—本論—結び」というものさしを適用して読みとることが大切である。ものさしがうまく当てはまるから適用していくのではない。「序論—本論—結び」は、説明文・論説文の構成の基本である。基本となるものさしを当てはめることで、〈序論〉がなく〈本論〉から述べている文章などと読みとることができ、うまく当てはまらないことや、変則的な構成も見えてくるのである。

3　段落関係をつかみ、要約する

要約とは、文章の一部を短くまとめたものである。ただ単に短くまとめるだけではなく、問題提示（話題提示）が何であるのかをおさえ、答えがどこにどのように書かれているかを明らかにすることが重要である。そのために、まず「序論―本論―結び（はじめ―なか―おわり）」の構成を読みとる。次に〈本論1〉〈本論2〉などのまとまりの中で、答えがどの段落にどのように書かれているのかを考える。そして柱の段落（文）と他の段落（文）との相互関係をとらえながら要約していくのである。柱とは、問題提示に対する答え（結論を先に述べている文章の場合は、結論に対する理由・論証）と定義する。

小学校学習指導要領（平成29年告示）国語編〔第3学年及び第4学年〕の「読むこと」には、「中心となる語や文を見付けて要約すること」とあるが、本書では柱という語を使う。

中学校学習指導要領（平成29年告示）国語編〔第1学年〕の「読むこと」には、「ウ　目的に応じて必要な情報に着目して要約したり、場面と場面、場面と描写などを結び付けたりして、内容を解釈すること。」とあり、中学校でも、文章を要約することの重要性を指摘している。

段落（文）相互の関係は、対等の関係と対等でない関係に分けることができる。

対等の関係とは、叙述の内容が主従の関係になっていないことをいう。対等の関係になっている段落や文は、柱を一つに絞ることができない。対等の関係は、次のA・Bに整理することができる。

A　並列的に述べる

『私のタンポポ研究』の〈本論2〉で、三種類のタンポポの種子がどの温度でどれくらい発芽するのかという実験の結果を、[13]～[15]段落で並列的に述べている。

B　時間の順序で述べる

『クマゼミの増加の原因を探る』の[5]段落の②～⑦文は、クマゼミの一生について、時間の順序で述べている。

対等でない関係は、次のC・Dに整理することができる。

C　詳しい説明や例を述べる

『「正しい」言葉は信じられるか』の〈本論3〉では、[7]段落で二つの新聞記事の例を示し、[8]段落で二つの記事の表現の違いを詳しく説明している。

D　理由・原因・前提を述べる

『誰かの代わりに』の〈序論〉では、[3]段落に、自分とは何かについて、哲学者や思想家だけでなく、十代の若者から中高年まで、世代を超えて誰もが問わずにいられない時代であると筆者の考えを述べ、[4]段落で、その理由を述べている。

もちろん厳密には、すべてが右のA～Dの四つの関係で整理できるわけではない。段落（文）相互の関係をとらえる際のものさしとして、まず四つの関係を理解しておくのである。

生徒に「〈本論1〉を要約しなさい」といきなり指示しても、生徒はすぐに、どこをどのようにまとめて、要約すればよいのかわからない場合も考えられる。そこで要約の指導は、次のように丁寧におこない、生徒自身で要約できる力を身につけさせたい。

①　問題提示（話題提示）を確認し、その答えがどこにどのように書かれているかを明らかにする。

②〈本論1〉〈本論2〉等のまとまりの中で、まず答えが書かれている柱の段落を明らかにし、次に柱の段落と柱の段落以外との段落関係を読みとる。
③柱の段落の中の柱の文を決める。
④柱の文の述語を抜き出す。（必要に応じて主語も抜き出す）
⑤必要な修飾語を抜き出す。
⑥敬体を常体に直して、字数等も考慮して文を調整する。
⑦最後に、要約文が問題提示（話題提示）の答えとずれていないかを確認する。

前述の中学校学習指導要領（平成29年告示）解説国語編〔第1学年〕の「読むこと」には、「ア　文章の中心的な部分と付加的な部分、事実と意見との関係などについて叙述を基に捉え、要旨を把握すること。」とも書かれており、文章を要約するだけではなく、文章全体の要旨をまとめる力をつけることも重視している。そのためには、文章全体の問題提示（話題提示）の答えがどこにどのように書かれているのかを読みとり、その答えとなる柱の段落や柱の文をもとに、指定された字数、言葉の重なり、文体（常体・敬体）に考慮して要旨をまとめていくことが大切である。さらに生徒自身が考えた要約文や要旨文を自分で推敲したり、生徒同士で交流したりしながら、よりよい文章に仕上げる。

4　要旨を読む

要旨とは、文章構成をふまえて、文章全体を短くまとめたものである。要約とは、文章の一部を短くまとめたものである。要約と要旨の区別を明確にして指導することが大切である。

中学校学習指導要領（平成29年告示）第2章第1節国語の〔第1学年〕の「読むこと」の指導事項には、次のように示されている。

> ア　文章の中心的な部分と付加的な部分、事実と意見との関係などについて叙述を基に捉え、要旨を把握すること。

要旨について、中学校学習指導要領国語の解説編に、次のように示されている。

> 要旨とは、文章で取り上げている内容の中心となる事柄や書き手の考えの中心となる事柄である。文章の構造を踏まえて、キーワードやキーセンテンスなどに留意して情報を整理し、正確に要旨を捉えられるようにすることが重要である。
>
> （傍線・筆者）

要旨の指導は、文章全体の構成を読みとる構成よみに続く、論理よみの中に位置づけられる。具体的には、段落（文）相互の論理関係を読みとり、要約をおこなった後、要旨をまとめるという手順になる。つまり要旨の指導は、論理よみの最後の段階といえる。

「文章で取り上げている内容の中心となる事柄」とは、その文章の問題提示と答えに相当する箇所である。したがって、問題提示に答えている部分を短くまとめる。それと「書き手の考えの中心となる事柄」が一致すれば問題ないのだが、必ずしもそうとは限らない。どこを「書き手の考えの中心」ととらえるかは、文章によって、また読み手によって、異なる場合がある。「書き手の考えの中心」をどう考えるかは、必ずしも明確ではない。それゆえ要旨には、読み手の判断が大きく関わる。指導する場合、そのことを念頭に置いておくことが必要である。まとめ方は、説明文と論説文では違っている。

① 説明文の要旨のまとめ方

説明文は、〈序論〉の問題提示を受けて〈本論〉で具体的に述べ、〈結び〉で抽象的にまとめる。したがって〈結び〉を要旨にすることが多いが、それだけでは具体がわからないことがある。その場合、〈本論〉で述べている具体的な内容を入れて要旨とする方がよい。

説明文の要旨をまとめる時の「文章の構造を踏まえ」るとは、構成を意識し、問題提示と答えが、どこにどのように述べられているかなど、文章全体を俯瞰することである。問題提示の答えがそのまま要旨になるのか、それともそれに〈結び〉で述べられている筆者の意見も加えて要旨にするのか、言い換えれば読み手がどこを「書き手の考えの中心」と見るかという価値判断により、要旨のまとめ方に違いが生じる。『ダイコンは大きな根？』（光村図書1年）は、大根の根について述べた説明文である。〈結び〉でまとめているが、そこでは「異なる器官」「器官によって味も違う」と抽象的である。「異なる器官」は根と胚軸であり、根は辛く胚軸は甘みがあると、内容を補って要旨とする必要がある。

② 論説文の要旨のまとめ方

論説文は、筆者の考えを主張する文章である。ただし、その述べ方には大きく二つある。一つは、筆者の考えが結論となるものである。展開型の帰結タイプや結論提示タイプがそれにあたる。もう一つは、筆者の考えがいくつもある場合や、すでに明らかになっている事柄を説明しつつ、そこに筆者の考えが加えられていく場合である。並列型の叙述や展開型の小問タイプや付加タイプなどはこれにあたることが多い。

帰結タイプには、『「言葉」をもつ鳥、シジュウカラ』、『「正しい」言葉は信じられるか』などがある。これらの文章では、〈結び〉の結論をとらえる。それとともに〈結び〉で結論以外のことを述べている場合は、それも加えて要旨にする方がよいのかを考える。要旨には読み手の価値判断が加わる部分があり、それによっては要旨のまとめ方に違いが生じる。

結論提示タイプには、『「不便」の価値を見つめ直す』などがある。結論提示タイプは、最後に結論をもう一度まとめる場合があり、その場合は双括型といったりする。『「不便」の価値を見つめ直す』も、双括型といえる。〈序論〉で示される結論と〈結び〉の結論とを比べて要旨をまとめていく。

付加タイプには、『君は「最後の晩餐」を知っているか』、『作られた「物語」を超えて』などがある。付加タイプは、最初の問題提示に対する答えの後に、別のことが付け加えられていく。したがって、付け加えられた内容がその前とどのような関係にあるかによって、要旨のまとめ方は違ってくる。『君は「最後の晩餐」を知っているか』では、〈本論1〉と〈本論2〉の要約を合わせたものが要旨になる。『作られた「物語」を超えて』は、〈本論1〉の内容は〈本論2〉に含まれていくと考えるならば、〈本論2〉を受けての結論だけでまとめられるが、〈本論1〉の内容をより重く見るならば、〈本論1〉と〈本論2〉で要旨を作ることになる。それは読み手の価値判断にかかってくるのである。

並列型の叙述としては、『絶滅の意味』がある。〈序論〉の問題提示に対して、〈本論〉で三つの内容を述べており、それらをまとめて要旨とする必要がある。

最後に、『オオカミを見る目』のように、問題提示に対する答えに対応する部分に筆者の考えが加えられるものがある。そのような文章では、問題提示の答えとなる部分と筆者の考えとを合わせて要旨とする。

第4節 「批判的に読み」「評価する」ための授業づくり（吟味よみ）

中学校学習指導要領〔平成29年告示〕の〔第3学年〕の「読むこと」は、次のように述べている。

> イ　文章を批判的に読みながら、文章に表れているものの見方や考え方について考えること。
> ウ　文章の構成や論理の展開、表現の仕方について評価すること。
> エ　文章を読んで考えを広げたり深めたりして、人間、社会、自然などについて、自分の意見をもつこと。
> （傍線・筆者）

また、小学校学習指導要領〔平成29年告示〕の〔第5学年及び第6学年〕の「読むこと」では、次のように述べている。

> ウ　目的に応じて、文章と図表などを結び付けるなどして必要な情報を見付けたり、論の進め方について考えたりすること。
> オ　文章を読んで理解したことに基づいて、自分の考えをまとめること。
> カ　文章を読んでまとめた意見や感想を共有し、自分の考えを広げること。
> （傍線・筆者）

小学校の「論の進め方について考え」ることや「自分の考えをまとめること」から中学3年の「文章を批判的に読」むことまで一貫しているのは、情報や書かれ方を吟味する力であり、作品や文章をメタ的にとらえる力の育成である。

しかし、「自分の考えを持ちなさい」「批判的に読みなさい」と言ったところで、そのための方法を生徒が持っていなくてはダメである。そして、教材研究において教師自身が深く読めていることで生徒の多様な読みや批判的な読みに対する指導が可能となる。

批判的に読むことや評価する読みを、吟味よみという。吟味よみは、大きく二つに分かれる。一つは、小説や説明文・論説文を相対化することである。メタ的な読みといってもよい。小説の仕掛けや語られ方、文章の書かれ方などを読むのである。そこから、小説や説明文・論説文のうまさや工夫が見えてくる。不十分さが見える場合もある。二つ目は、評価することである。小説であれば、面白かったか、面白くなかったか、どこをよいと思ったか、どこがつまらなかったかといった作品に対する評価を持てるようにしていく。説明文・論説文であれば、説明に納得するかしないか、筆者の考えに賛成か反対か。もちろん、きちんとした評価がすぐにできるようになるわけではない。はじめは、小説や文章の一部分を取り上げて評価していくのである。構成・構造の読みや形象・論理の読みに比べても、吟味よみは生徒の主体性がもっとも求められる。

これまで国語科では、小説教材や説明文・論説文教材はよいもの、理解できて当然のものとして指導されてきた。そして道徳的な色合いをも強く持たされてきた。しかし、作品や文章が多様であるように、読み手も多様である。十人が十人とも感動するわけではない。人によってはわかりにくかったり、納得できないところがあったりする。一方的に教師の読みを押し付けていくのではなく、生徒が批判的・評価的な読みができるような力をしっかりと育てていくことが、これからの授業では求められていく。

1 小説を吟味する五つのポイント

① 構成から吟味する——場面のつながりを考える

場面分けは、小説を読み解く基礎的な作業といえる。行空きなどであらかじめいくつかの場面に分かれているものもあるが、そうでない場合も場面分けをすることで、ストーリーの展開をつかみ、作品の組み立てを大づかみすることができる。形象や主題を読んだ上で、あらためて場面構成を見直してみる。そうすることで、その場面があることでどのような効果や意味が生まれているかを考えることができる。

『星の花が降るころに』は、「私」が夏実との関係をとらえ直していく話である。にもかかわらず、3場面に夏実は登場しない。3場面は、「私」の戸部君に対する見方の変化が描かれる。そのことで、夏実に固執していた「私」の見方が広がり、4場面のクライマックスにつながっている。『盆土産』では、2場面に喜作と会話するところがある。家族がえびフライを食べるだけの話であれば不要のようにも思われる。この場面がある意味を考えることで、えびフライを食べるだけの話でないことが見えてくる。

② 構造から吟味する――四部構造をものさしにして考える

すべての作品が、四部構造（導入部―展開部―山場の部―終結部）を持つわけではない。それゆえ、四部構造というものさしをあてることで個々の作品の特性が見えてくる。『走れメロス』は、導入部がなく、いきなり「メロスは激怒した」から始まる。なぜそのような語り出しにしたのか、時間の順序にしたがって語るのと比べてどのような違いがあるのかを考える。『少年の日の思い出』は、「僕」が蝶を指で押しつぶすクライマックスで作品は終わる。その後「僕」がどうしたかも語られず、最初の主人と客との会話に戻ることもない。終結部がないことを意識することで、その意味を考えることができる。四部構造の作品では、導入部や終結部をなくして考えてみることで、その意味や効果を考えることができる。

③ 登場人物への共感や反発から考える

多くの場合私たちは、中心人物（視点人物）に寄り添いながら小説を読み進める。だからといって、常にその人物に共感的に読み進めるわけではない。『走れメロス』のメロスに対する評価は割れる。メロスが代表する正義や信実に共感する読者もいれば、自分勝手なメロスに反発を覚える読者もいる。無理して共感させる必要はない。なぜ共感できないのか、あるいは共感するのか。その理由を表現に基づいて考えてみるのである。

さらには、それらの意見を交流することで、一人ひとりのものの見方や考え方の広がりが生まれる。

④　語り手を吟味する

一人称の語り手といっても、語り方は同じではない。誰に向けて語っているのか、いつのことを語るのか、なぜ語るのか……。三人称の語り手も同様である。『走れメロス』のように語り手がメロスに思い入れを持って語るものもあれば、『トロッコ』（芥川龍之介）のように冷静に語るものもある。どのような語り手なのか、その語り手が語る意味はどこにあるのか、場合によれば、語り手を別の人物に変えて、どう変わるかを考えてみるのも面白い。『少年の日の思い出』は、語り手である「僕」から見たエーミールの姿が描かれている。「僕」というフィルターを通して語られている。それを外した時、どのようなエーミール像が見えてくるのだろうかということを考えてみる。

⑤　作品を評価する——批評文を書く

小説を道徳的に読みとろうとする傾向が生徒たちにはある。しかし、それでは小説は魅力的にはならない。だからといって、面白い、つまらないの一言で片付けてしまうのも安易すぎる。どこがどのように面白かったのか、またなぜつまらなかったのか、作品の表現に根拠を持って述べられるようにしていく。そのためには、作品の仕掛けや工夫を読みとるなど、評価する対象に生徒の目をしっかりと向けさせることである。たとえば『字のない葉書』（随筆）は、前半と後半が対比的に描かれている。何がどのように対比されているのか、また両方に共通しているのは何かを読みとった上で、それをもとに批評文を書くのである。

2　説明文・論説文を吟味する五つのポイント

①　構成から吟味する――三部構成をものさしにして考える

説明文・論説文は、三部構成（序論―本論―結び）が基本である。したがって、〈序論〉や〈結び〉がない場合、その意味を考えることが吟味となる。『「正しい」言葉は信じられるか』には〈序論〉がない。『絶滅の意味』は、〈結び〉がない。なぜないのか、仮にそれを書くとすればどうするかなどを考えることで、それぞれの文章における〈序論〉や〈結び〉のない意味を検討することができる。

②　問題提示との対応を考える

問題提示は、筆者がその文章で何を述べようとしているかを示しており、説明的文章の読解の要である。問題提示をとらえることで、文章の大きな方向性をつかむことができるとともに、そこから外れた内容も見えてくる。『オオカミを見る目』は、問題提示でオオカミの見方の違いやイメージの変化を考えることを述べている。それゆえ、オオカミの絶滅について述べた箇所は問題提示から外れているとわかる。なぜ筆者は問題提示から外れたオオカミの絶滅について述べたのだろうか。そのように考えることで筆者の意図を考えることができる。また、問題提示との対応を考えることは、一貫性のある文章を書く力にもつながっていく。

③　順序性を吟味する

述べる順序には意味がある。特に第一に、第二に……と順序立てて述べられる場合、その順序性が吟味の対象になる。なぜ最初に述べるのか、あるいは最後なのかといった順序を考えることで、筆者が何を優先し、何を大事に考えているかが見えてくる。『絶滅の意味』では、生態系の恩恵として四つあげている。四つの順序の意味を考えることで、筆者の意図や見方を考えることができる。また、順序を考える力は、自らが説明したり考えを述べたりする際にも有効に働く。

④ 例のあげ方を吟味する

例は、わかりやすく、具体的に述べようとする時に用いるものである。なぜその例なのか、また何のための例なのかを考えることで読みが深まる。『絶滅の意味』は、人間が引き起こした現代の絶滅の例としてリョコウバトとアマミノクロウサギをあげる。リョコウバトは、アメリカの絶滅例である。アマミノクロウサギは、日本のまだ絶滅していない例である。アメリカの例を示すことで、絶滅がグローバルな問題であることが示される。また絶滅危惧種を取り上げることは、取り組み次第で絶滅を回避できる可能性があることを示すことになる。『「不便」の価値を見つめ直す』では、不便益のよさを論証するために、移動方法や施設のデザインなどの例をあげる。これらの例が、不便益のよさを納得させるものになり得ているかどうかが吟味の対象となる。

⑤ 筆者独自の考えに対する評価をする――意見文を書く

説明文は、説明の仕方やわかりやすさが評価の対象になる。説明に納得できたのか、わかりやすいのはどのような説明をしているかを考える。論説文では、筆者の考えに納得するかどうか、賛成（納得）か反対（納得できない）かという読み手自身の考えを持つことが大切になる。その際大事なことは、本文中の表現に根拠をもって述べることである。『君は「最後の晩餐」を知っているか』で、筆者は二つの理由をあげて絵を「かっこいい」と主張する。その考えに対して賛成、反対の意見を考える。なぜ賛成なのか、反対する理由はどうしてか、それぞれの考えを出し合った上で、二〇〇字で意見文書く。

第5節 「対話的」な学習を深める話し合いの指導

生徒がより主体的に関わり、全員が参加するために、学習班（小グループ）の話し合いを導入した授業が求められている。そのためには、学習班の編成、学習リーダーの指導、話し合いの進め方の指導の三点がポイントになる。

1 学習班の編成

学習班の編成は、話し合いに慣れている等の学級集団のレベルに応じて、次のように段階的におこなう。

① まず授業のための三～四人の学習班を作る。話し合いがすぐできるように近くの席で分ける。互いの距離が近くて話しやすく、比較的気軽に発言できるよさがある。これより人数が多くなると、集中が欠けやすい。また意見がたくさん出てまとめにくいということも予想される。話し合いに参加しない生徒が出てくる可能性も考えられる。次に学習リーダーを互選する。教師が指名してもよい。

② 学習リーダーの選出は、互選や教師の指名から徐々に立候補で決めるようにしていく。学習リーダーは、教師のもとで話し合いの進め方を学び合う。なるべくたくさんの生徒に学習リーダーを経験させる。

③ 学級集団の質が上がるにつれて、教師と学習リーダーが一緒に、メンバーや座席を考えて学習班を作ることも考えられる。

2 学習リーダーの指導

学習リーダーは育てるものである。生徒と一緒に授業を創っていくためには、学習リーダーの指導は欠かせない。学習リーダーが育つことで、授業全体の質が上がる。学習リーダーの指導内容は、次の五点である。

① 学習リーダーを互選（または教師の指名）させる。できれば順番に全員に経験させる。徐々に立候補を取り入れていく。

② 次に、教師の指示や発問に主体的に動いたり答えたりすること（挙手・発言・音読等）を指導する。

③ 次に、生徒自身が「授業に主体的に参加し、深めるための手立て（アイテム）」を使うことを指導する。そして授業に参加する権利や授業内容をわかる権利があることを教える。

〈授業を深める手立て（アイテム）の例〉

○三つのせん

（わかりません・見えません・聞こえません）

○三つの要求

（もう一度言ってください・もう少しわかりやすく言ってください・少し話し合う時間をください）

④ 教科内容に切り込む方法を指導する。

（例……説明文の構成を読みとるには、生徒全員に「序論―本論―結び」に分けるとよいことを指導するが、学習リーダーには再度確認する等）

⑤ 自分の学習班のメンバーが授業内容を理解しているかどうか確認し、教師に援助を求めたり代わって要求を出したりすることを指導する。

＊学習リーダーを決めたら、授業のはじめや終わりに短時間で学習リーダー会をおこなうとよい。はじめの学習リーダー会では具体的な指示をおこない、終わりの学習リーダー会では、指示したことに対する活動の評価をおこなうのである。必要に応じて、授業前や授業後に学習リーダー会ができるとなおよい

3 話し合いの進め方の指導

いきなり学級全体で話し合いをすると、一部の生徒に発言が限られる可能性があるが、次の①～③の手順で丁寧に指導することで、より多くの生徒の考えを学級全体に反映させることができる。

① 学習班での話し合いに入る前に、まず一人で考える時間をきちんととる。

＊自分の考えを持つことで、学習班で意見が出ないということが少なくなる

② 次に学習班での話し合いをおこなう。

③ 最後に学級全体での話し合いをおこなう。

学習班の話し合いの指導ではまず学習リーダーが自分の考えを発表し、次に一人ひとりが、順番に自分の考えを発表する。自分の考えがない生徒は、他の人の意見を聞いて、当面は自分の考えにしてもよい。いくつかの考えが出たときは、違いを明らかにして話し合いをおこなう。出された考えは必ずしも一つにまとめなくてもよい。最後に考えがいくつになったのかを確認し、全体での発表者を決めて机といすを元に戻す。

また学級全体での話し合いの指導は、次の通りである。

❶ まず学習班で話し合ったことをそのまま、学習班の誰かが代表して学級全体の場で発言する。

❷ 次に学習班で話し合ったことを、誰が何を発言するのか打ち合わせて（分担して）発言する。そして徐々に全員が発言できるようにする。

❸ 次に学習班で話し合ったことを、まとめて発言する。

❹ 最後に学習班で話し合わなかったことも、自分で考えて全体の場で発言する。そして他の学習班から出た意見について、自分で考えて発言できるようにして、生徒同士で話し合いが深まるように指導したい。

第1節　小説・随筆

1　『星の花が降るころに』　安東　みきえ

(1)　**作品の成立**

教科書書下ろし作品

(2)　**登場人物・語り手・場面分け**

○**登場人物**

「私」（名前は示されていない）　夏実　戸部君　おばさん

○**語り手**　「私」（一人称）

一人称では、「私」の見たことや経験したことが語られる。中学1年の九月のある一日のことが語られるが、その背景に小学6年の秋から中学1年の九月までの、夏実との関わりがある。ただし、語っている「私」と語られる（中学1年の九月時点の）「私」の間にはギャップがある。語っている「私」にはわかっているが、語られる「私」にはわかっていないことがある。

○**場面分け**

行空きにより、四場面に分けられている。

場面	範囲	内容
1	はじめ～そう言って笑った。	去年の秋　銀木犀のところ（回想）
2	―ガタン！～だれもいないのに。	昼休み　教室
3	帰りは図書委員の集まりが～笑いすぎたせいだ、たぶん。	放課後（九月）　校庭
4	学校からの帰り～おわり	帰宅途中　銀木犀のある公園

（光村図書　1年）

(3) 構造よみ

◯冒頭・発端　銀木犀の花は……

◯山場のはじまり　学校からの帰り……

◎クライマックス　どちらだっていい。大丈夫、きっとなんとかやっていける。

◯結末・終わり　……下をくぐって出た。

冒頭＝発端とするのは、1場面が、去年の秋の夏実との思い出を「私」が回想しており、描写的であることと、そこに「私」が夏実との関係にこだわっている姿が示されているからである。発端を、2場面からとする意見も予想される。「私」と戸部君の出会いを中心に考える意見である。そうすると、「私」と戸部君との関わりが事件の中心になってしまう。確かに、夏実よりも戸部君の登場の方が多いので、「私」と戸部君を事件の中心と考えることも理解できる。そこに焦点を当てると、この話は「私」と戸部君の淡い恋のはじまりといった解釈になる。しかし、この作品における戸部君との関わりは副筋であり、夏実との関係が主筋を構成している。1場面の回想、2場面の夏実とのすれ違い、3場面の戸部君とのやりとり、すべてに「私」が夏実との関係にこだわっていることが読みとれる。題名もそれを示している。4場面では、1場面と同じ銀木犀が描かれる。そこに戸部君は登場しない。全体を通して、「私」の夏実に対する思いやこだわりが描かれていることがわかる。

そのように読んでくると、「私」が夏実との関係に一区切りをつける4場面にクライマックスがあることが見えてくる。「ここでいつかまた夏実と花を拾える日が来るかもしれない。」以降をクライマックスとしてもよい。構造表で示した二文は、夏実との関係にこだわっていた「私」がそこから抜け出す決意をしたことを端的に示している。

(4) 形象よみ（展開部 1～3場面）

1場面は、去年の秋、「夏実と二人で」銀木犀の木の下にいた時の回想である。「二人で」という言葉が二回繰り返され、「私」と夏実の一体感が表現されている。夏実の言葉だけが描かれることで、「私」の夏実へのこだわりの強さが読みとれる。「踏めない」、「もう動けない」、「木に閉じ込められた」といった表現が、2場面を読むことで夏実との関係にこだわっている「私」の状況を象徴的に表す言葉と見えてくる。

2場面は、「――ガタン！」という擬音語で、回想を一気に断ち切り、「私」を現実の世界に引き戻すと共に、読者も何があったかと驚かされる。うまい場面転換である。「ガタン！」の前の「――」（ダッシュ）で、「私」が去年のことを回想している間が表現されている。

2場面で、「私」、戸部君、夏実の人物関係をおさえる。「私」と夏実は、「中学に上がってもずっと親友でいよう」から、去年の秋が小学6年、今は中学1年とわかる。夏実と呼び捨てにしていることから、二人が親密な関係であったとわかる。「戸部君」という君付けの呼称からは、戸部君との間に一定の距離があることが読める。戸部君については「私だってわからない。」という言葉が効果的に用いられている。直前の戸部君の質問への答えでありつつ、「小学生のころからわからないまま」以降の、「私」が戸部君をどう思っているかを示している。戸部君の方は「私」に好意を持っているように見えるが、「私」にとって戸部君は全く眼中にない。ただし、語っている今の「私」には、戸部君の気持ちがある程度わかっている。だからこそ、このように語ることができるのである。

「夏実だって、私から言いだすのをきっと待っているはず」「夏実は一瞬とまどったような顔でこちらを見た後、～私からすっと顔を背けた」といった表現は、「私」の思いや感じであり（ここに一人称の〈語り〉の特色がある）、必ずしも客観的なものとはいえないことにも注意しておきたい。

③場面で、九月の真夏日という時が明示される。銀木犀は九月～十月頃に花をつける。つまり、銀木犀が花をつける時期まであまり時間がないことがわかる。「私」はこれまで何度も夏実と仲直りしようと思いながらも、うまくいかなかった。新しい花を夏実と拾うためには、残された時間はあまりないのである。

昼休みの夏実とのことを見られたことを気にして、「私」は校庭で戸部君を探す。そこで一人サッカーボールを磨いている戸部君を発見する。戸部君は、みんなが練習している中で、一人でボールの手入れをしている。ボールを大事にしている、サッカーがほんとうに好きな彼のあり様が見える。ここで「私」は、今までとは違う戸部君の姿を見たのである。それゆえ、「なんだか急に自分の考えていたことがひどく小さく、くだらないことに思えてきた」のである。夏実とのやりとりを気にして、何を言われるかわからないと思っていた「私」は、自分のあり様を少し冷静になって振り返っている。戸部君の「あたかも」作文を通して、「私」は戸部君の優しさに触れる。さらに、戸部君と向き合い、自分より背が高くなっていることにも気づく。②場面の「わからない」戸部君ではない、新しい戸部君を「私」は見つけたのである。最後の「～あんまり笑いすぎたせいだ、たぶん。」の「たぶん」は、笑いすぎだけでないものを、「私」が感じていることを示している。それは、戸部君の優しさや温かさに触れたうれしい気持ちではないだろうか。

(5) 形象よみ（山場の部 ④場面）

以前の「私」は、銀木犀を「二人だけの秘密基地」であり、「どんなことからも木が守ってくれる」と思っていた。それは子どもらしい見方でもある。その銀木犀が古い葉を落とし、新しい葉を生やすことを知る。

「私」は去年の夏実との約束は、いつまでも変わらないものだと思っていた。ところが、銀木犀も古い葉を落とすことを知り、夏実との関係にこだわらなくてもよいことに気づいていく。だから、去年拾って大事に持っていた花を土の上に落とすのである。ここで注意したいのは、「私」は夏実との関係を断ち切ろうとは考えていないことである。「どちらだっていい」と、幅広くとらえている。夏実との関係に執着していたことから、それにこだわらない「私」への変化、成長である。ただし、「大丈夫、きっとなんとかやっていける。」と自分を励ますことから、先への不安もあることが読みとれる。そして「銀木犀の木の下をくぐって出た。」と銀木犀の下から出ていく。[1]場面で「これじゃもう動けない」「二人で木に閉じ込められた」とあることと対応させると、そこに「私」の変化、成長が読みとれる。

(6) 主題

一人の友人との関係にこだわっていた「私」が、そこから抜け出し、新たな友人関係にむけて一歩前へと踏み出していく。

(7) 吟味よみ

・[3]場面の意味について考える。「私」と夏実との関わりだけなら、[3]場面に夏実は登場しないし、「私」と戸部君との関わりが描かれているだけなので、[3]場面はなくてもよかったのではないか。そのようにとらえ直すことで、改めて[3]場面が持つ意味を考える。[3]場面で「私」は戸部君のこれまで知らなかった一面を見る。初めて戸部君と「ちゃんと向き合」う。そのことが「私」の見方を広げ、気持ちの上でのゆとりを生み出したのではないだろうか。[4]場面で「少し回り道」して公園に寄ったのも、[3]場面での戸部君とのやりとりがあったからではないだろうか。

・『星の花が降るころに』の後に続く言葉を考える。どのような言葉を後に続けるかを考えることで、生徒がどのようにこの物語をとらえているかが見えてくる。基本的には、生徒たちは前向きな言葉を後に続けてくると考えられる。また、そのように考えた理由を書いてみるのもよい。

(8) 対話的な授業づくりのための発問例

●『星の花が降るころに』の主要な事件を考える

発問1 事件は、「私」と夏実と関係が中心なのか、「私」と戸部君との関係が中心なのか？
発問2 [1]場面と[4]場面に共通しているのは？
発問3 題名から考えてみよう。

この作品の事件は、「私」と夏実と関係が中心なのか、「私」と戸部君との関係が中心なのかを考える。題名、[1]場面と[4]場面の対応、「私」の心の中の葛藤などを見ていくことで、夏実との事件が中心になっていることがおさえられる。

●[4]場面での「私」の変化を考える

発問1 変わったといえるところを、[1]～[3]場面で述べられていたことと比べて指摘してみよう。
発問2 どう変わったか、整理してみよう。

[1]・[2]場面の「私」には、夏実しか見えていない。以前のような関係に戻ることだけを考えている。[3]場面には夏実は登場しないが、戸部君に対する見方が大きく変わる。そのことが、夏実に固執していた「私」の心に少しゆとりをもたらしたのではないだろうか。銀木犀のある公園に寄ったのはそのせいかもしれない。銀木犀も古い葉を落として新しい葉を生やすことを知り、クライマックスの変化へとつながる。私は夏実との関係にこだわらなくなる。花を拾うことにもこだわらない。そこに少し成長した、視野の広がった「私」がいる。

2 『少年の日の思い出』　ヘルマン・ヘッセ　高橋健二 訳

（光村図書・東京書籍・教育出版・三省堂　1年）

場面	範囲	内容
1	はじめ～その間に次のように語った。	主人と客との会話
2の1	僕は、八つか九つのとき～僕は、二度と彼に獲物を見せなかった。	「僕」の回想　十歳、ちょう集めのとりこになる
2の2	二年たって～どんな持ち物でも楽しみでも、喜んで投げ出したろう。	クジャクヤママユを盗み、つぶしてしまう
2の3	悲しい気持ちで～おわり	エーミールのところに行き、帰宅後、ちょうをつぶす

(1) 作品の成立

初稿「クジャクヤママユ」が一九一一年に発表される。その改訂版として『少年の日の思い出』は、一九三一年ドイツの地方新聞に発表された。「クジャクヤママユ」との異同は、形象よみで触れる。クジャクヤママユは、蛾の一種である。蝶と蛾は区別できないほど似ており、ドイツ語では蝶と蛾を一つの言葉で言い表す。高橋健二訳では、すべて「ちょう」とされているが、岡田朝雄訳では「蝶や蛾」となっている。

(2) 登場人物・語り手・場面分け

○登場人物

1場面　主人（私）　客（2場面の「僕」）

2場面　「僕」（十～十二歳）　エーミール　母

○語り手

1場面……「私」（一人称）　2場面……「僕」（一人称）

1場面と2場面で語り手が異なる。1場面は、主人である「私」が語り手、2場面は、客である「僕」が語り手となる。特に、2場面の回想は、「僕」というフィルターを通して語られていることに注意する。

○場面分け

行空きによって、二つに分かれる。[2]場面は時の変化で「僕は、八つか九つ～二度と彼に獲物を見せなかった。」（[2]場面の1）、「二年たって～おわり」の二つに分けられる。[2]場面後半は、事件展開の上で「二年たって～喜んで投げ出したろう。」（[2]場面の2）と「悲しい気持ちで～おわり」（[2]場面の3）に分ける。

(3) 構造よみ

◎─┬─○冒頭　客は、夕方の散歩から帰って……
　　├─○発端　二年たって、僕たちは……
　　├─○山場のはじまり　悲しい気持ちで……
　　└─クライマックス・結末・終わり　だが、その前に、僕は、そっと食堂に行って、～そして、ちょうを一つ一つ取り出し、指で粉々に押しつぶしてしまった。

事件は、[2]場面で語られる。[2]場面のはじめ「僕は、八つか九つのとき～」からを発端とする意見が予想される。「客（僕）」の回想が始まるところで、現在から過去へと時が変わる。直前に行空きもある。そして、「僕」のちょう集め、「熱情的な収集家」だった様子がここから語られる、しかし、回想がそのまま事件というわけではない。途中には二年の時間経過があり、一続きの事件とするには連続性に欠ける。

「二年たって、僕たちは～」から、クジャクヤママユをめぐって話が展開していく。「僕」は、クジャクヤママユを見たくてエーミールのところに出かけていく。そして、それを盗み、結果つぶしてしまう。[1]場面で「自分でその思い出をけがしてしまった」と語ることとも照応する。

クライマックスは、意見が分かれる。クジャクヤママユを盗むところやつぶしてしまうところも候補にあがる。緊張感があり、衝撃的なところではある。しかし、盗んだこと、つぶしたことで話は終わっていない。次いで、エーミールに謝罪に行くところが考えられる。「僕」は、自分がやったことをエーミールに話し、おもちゃやちょうの収集を全部やるとも言う。エーミールはそれを拒否する。そして「僕」は、「一度起きたことは、もう償いのできないものだ」と悟る。ここで「僕」は自分のしたことの重さをはじめて深刻に受け止めたといえる。償いができないと悟ったから、自分のちょうの収集をつぶすのである。自分の集めたちょうをつぶすことは、収集をやめることを意味する。これまで繰り返し語られてきた「熱情」を断つことでもある。そして、自らを罰することでもある。

(4) 形象よみ（導入部 1場面）

「ランプ」から、電気がまだ普及していない時代と読める。ちなみに、東京市内での電気の普及は、一九一〇年頃である。また、「外では、かえるが～闇一面に鳴いていた」ことから、夏の夜である。なぜ「夏」なのか、また「夜」なのかと考える。「冬の夜（昼）」と比べてみる。夏は、ちょう集めの季節であり、ちょうの話につながりやすいことがまず考えられる。夜の暗さは、思い出の暗さとつながる。また夏であることで、語り終えた次の日、主人と客の二人がちょう集めに出かけたかもしれないといった想像もできる。もちろん、作品内では何も語られていない。二人がどうしたかは読者の想像に任されている。

場は、「色あせた湖が、丘の多い岸にするどく縁取られて、遠くかなたまで広がっていた」とあり、大きな湖の畔と読める。都会ではなく、自然豊かな田舎。季節から考えて、避暑地の別荘とも読める。また、「彼の姿は、外の闇からほとんど見分けがつかなかった」と客は夜の闇に紛れて語る。「恥ずかしい」話をするにふさわしい設定といえる。「私」には、客の顔つきや様子が見えない。闇の中での話は、暗い話といえる。それは、「客」がいつか闇から抜け出せることを暗示しているとも読める。

「私」は書斎のある家に住み、「末の男の子」がいる。そこから、知的で裕福な人物と読める。また、「末の～」から、少なくとも三人以上の子どもがいることがわかる。そこから四十歳くらいと考えられる。二人の様子から考えて、客も同じくらいの年齢と考えてよいだろう。そうすると、2場面は三十年くらい前の出来事となる。

初稿「クジャクヤママユ」では、客の名前（ハインリヒ・モーア）を明記していた。

(5) 形象よみ（導入部 2場面の1）

「僕」は、十歳の時にちょう集めのとりこになり、「他のことはすっかりすっぽかしてしまった」という。一つのことに打ち込むと、他のことが目に入らなくなるタイプの少年である。ちょうの収集のために、学校を欠席、遅刻したこともあったと思われる。親や教師から見ると、いい加減なところのある子どもと見えたかもしれない。

「僕」は、採集を「宝を探す人」にたとえ、採集したちょうを「自分の宝物」と言う。エーミールの採集をも「一つの宝石のようなもの」と言う。「僕」がちょうをどのように見ているかがよくわかる表現である。「僕」はちょうの美しさに魅せられ、何物にも代えがたい「宝」と思っているのである。

次に、エーミール。ただし、ここでは名前は示されていない（「クジャクヤママユ」ではコムラサキを見せるところで、エーミールの名前が示されている）。「先生の息子」で「非の打ちどころがないという悪徳」を持ち、「子供としては二倍も気味悪い性質」「模範少年」と、「僕」は語る。学業優秀、品行方正であり、教師の評価も高い生徒と読めてくる。ではなぜ、「悪徳」「気味の悪い」と否定的な言葉を用いるのか。そこに、「僕」の評価があり、逆に「僕」のあり様も見えてくる。エーミールは、「僕」とは対照的な人物として描かれている。優秀で何でもできる、大人や教師の評価が高いエーミールに対して、「僕」は自分のことをその対極にいるような人物と思っているのである。

また、「彼の収集は小さく貧弱」からは、エーミールの収集が「僕」のよりも少ないことがわかる。エーミールが「非の打ちどころがない」少年であることから考えて、ちょう集めにかける時間は「僕」よりも少なかったと思われる。ちょう集めに関しては、「僕」はエーミールよりも優れているといった優越感を持っていたであろう。また「こぎれいなのと、手入れの正確な点で、一つの宝石のようなもの」からは、エーミールの器用さや丁寧さとともに、ちょうに対するエーミールなりの熱情を読んでおく必要がある。

エーミールはコムラサキを「二十ペニヒぐらいの現金の値打ち」と鑑定する。ちょうの美しさではなく、お金の価値で計る現実的な子どもとするエーミール評価があるが、むしろ子どもらしい評価の仕方と見ておく方がよいのではないか。二十ペニヒが今ならばどのくらいの金額になるかは難しいが、他のヘッセ作品の表現から類推して数百円程度とみる考えがあるので紹介しておく。

「隣の子供」「中庭の向こうに住んでいる」とあるように、エーミールは「僕」の家のすぐ近くに住んでいる。ここから考えて、「僕」とエーミールは同い年の幼馴染ではなかっただろうか。クジャクヤママユを見に行くところでは、エーミールの部屋の前まで何の断りもなく入る。そこから考えても、小さいときから一緒に遊ぶこともあり、互いの家を行き来することもあったと考える方が自然である。コムラサキを捕らえた時、「得意のあまり、せめて隣の子供にだけは見せよう」とある。エーミールもぜいたくな設備を持っておらず、コムラサキも持っていなかったのではないだろうか。また前述したように、エーミールに対する優越感が、自分の収集を見せることにつながったのではないだろうか。

それにしてはエーミールに対してかなり悪意のこもった言い方である。そこには、当時のものだけではなく、大人になった現在の「僕」の思いも含まれていると考えられる。

(6) 形象よみ（展開部 2場面の2）

「二年たって、僕たちは、もう大きな少年になっていた」と始まる。「僕たち」が「僕」とエーミールを指すのはいうまでもない。前の場面の終わりで「僕は、二度と彼に獲物を見せなかった」とあったが、それは「僕」とエーミールの間が断絶していたのではない。「僕たち」には、エーミールに対する親近感が読める。この後の出来事が二人の間で展開されることを予感させる表現といえる。

クジャクヤママユを見た時の様子を「四つの大きな不思議な斑点が、～僕を見つめた」と語る。「僕」がちょうを見たのだが、「斑点が～見つめた」とちょうが「僕」を見たかのように擬人法で表現する。ちょうに魅せられたがゆえに盗んでしまったのだとも読めるような表現である。何のためらいもなく「僕」は盗みを犯し、「大きな満足感」を持つ。それほどにクジャクヤママユは「僕」を魅了したのである。

(7) 形象よみ（山場の部 2場面の3）

「僕」がクジャクヤママユを見に出かけたのは、昼食後の午後一時過ぎくらいではなかったか。家に帰り、夕方までの四～五時間を一人で悩む。母に打ち明け、夜に入ってようやくエーミールを訪ねる。

エーミールへの最初の申し出は、おもちゃを代わりとして差し出すことである。クジャクヤママユがエーミールにとってどれほどの価値を持つかといった考えは、ここにはない。次に「自分のちょうの収集を全部やる」と言う。ちょうの収集は「僕」の「宝物」であり、おもちゃよりも大事なものである。つまり、おもちゃでダメだから、ちょうの収集を提示したのである。エーミールの持っていないちょうをいくつか「僕」は持っていたはずである。それでクジャクヤママユと同等の価値があると思っていたのではないか。

エーミールは「僕」のちょうの扱い方を非難する。「僕」としてはクジャクヤママユをつぶすつもりなどなかったのだから、扱い方を責められるのは心外なはずである。「僕」のちょうに対する熱情を否定されたようなものである。自分よりもちょうの収集の少ないエーミールに、自分のちょうに対する熱情を否定されたくはない。熱情はエーミールを上回ると「僕」は思っている。しかし、エーミールからすれば、「僕」のちょうに対する扱い方が許せないのである。

自分がクジャクヤママユを盗み、台無しにしてしまったことに対する反省はあるが、「僕」にはエーミールの立場に立って、彼にひどいことをしてしまったという思いが弱い。エーミールがどれほどの熱情をかけて、さなぎから孵化させたのかを思いやってみようともしない。「僕」がすべきなのは、ひたすら謝ることであり、許しを請うことではなかったか。ただ、「僕」の年齢（十二歳）を考えると、エーミールの立場に立てないことや、おもちゃや収集をやるといった言い方の幼さは仕方がないともいえる。

なぜエーミールは「僕」を許さなかったのだろうか。クジャクヤママユをさなぎからかえすには並大抵ではない苦労があったはずだ。それゆえ勝手に部屋に入り、展翅板からはずして盗み、挙句は台無しにした「僕」をそう簡単に許せるわけがない。まして「僕」は「僕のおもちゃをみんなやる」「自分のちょうの収集を全部やる」と、それらがクジャクヤママユと釣り合いが取れるかのような言い方すらしたのだ。クジャクヤママユがどれほど素晴らしいものか、その価値をわかっていない「僕」の鈍感さが腹立たしかったのかもしれない。「僕」に同化して読むだけではなく、「僕」の態度や行動がエーミールにどう見えたのか、エーミールはどんな思いだったのかも考えていきたい。

ここまで「僕」は償いができると思っていた。それができないとわかる。エーミールのところに行く前と後で、一番大きく変わった点といえる。償いができない以上、それを「僕」は背負っていくしかない。

「僕」が、自分のちょうをつぶすのは、自分の意志である。クジャクヤママユを台無しにしてしまったことは、もはや償いのできないとわかっている。したがって、ちょうをつぶすことは、償いからではない。「僕」には、美しいクジャクヤママユを台無しにしてしまった自分が許せないのだ。それとともに、どんなにクジャクヤママユに魅せられたにせよ、それを盗むという「下劣な」行為を犯した自分も許せない。そのような自分を罰すること、それがちょうをつぶすことの意味である。

しかし、ちょうをつぶしても、何かが解決するわけではない。気持ちの上では、終わりのない（許されたと実感することができない）行為である。この苦しさや辛さを「僕」は抱えていくしかない。大事なちょうをつぶすことは、クジャクヤママユを台無しにされたエーミールの立場になることともいえる。自分が大事にしているちょうが粉々につぶされることがどんなに悲しくつらいことか、その気持ちを「僕」はここで知る。またここから、自分で自分をだましたり欺いたりすることができない、自分のしたことに真正面から向き合おうとする「僕」の姿勢も見てとれる。

ただし、自分を罰するといっても、その裏側には「僕」のことを許してくれなかったエーミールがいる。ちょうを押しつぶさざるを得ないのは、そうさせたエーミールがいるからである。とすれば、押しつぶすことはエーミールに対する憎しみを持つことにもつながる。

収集したちょうをつぶすことは、ちょうの収集をやめることを意味する。自分が最も熱情をかけてきたものから離れるのである。今後同じように熱情をかけることができるものとは、出会うことはないかもしれない。また、熱情のままに行動することの怖さも味わった。熱情のままに行動することができた少年時代の終わりといえる。

ここで作品は終わり、後を読者の想像にゆだねる、余韻を持った終わり方である。ただし、読者は「僕」の三十年後の姿をすでに見ている。三十年たっても、その思い出を引きずる「僕」がいる。「僕」にとって少年の日の思い出は、まだ終わっていなかったのである。

⑻ 主題

少年時代のちょう集めにかける熱情、そしてその熱情のあまり犯した過ちを抱えて生きていくこと。

⑼ 吟味よみ

語り手の「僕」は、エーミールを冷静に客観的に語ることができていない。「僕」と言うフィルターを外した時、エーミールという子どもはどのように見えてくるのか、「僕」の言動はどのようにエーミールの目には写ったのだろうか。エーミールの視点から事件をとらえ直すことで、立場を変えて作品をとらえることが可能となる。

事件だけを考えれば、1場面の「私」と客の会話はなくてもよかったのではないか。大人になった「僕」の姿を示すことは、どのような意味があるのだろうか。三十年経った現在の「客（僕）」は、過去の事件を精算できておらず、いまだにそれを引きずって生きている。1場面は必要なのか、1場面の持つ意味を考えたい。

⑽ 対話的な授業づくりのための発問例

●クライマックスを読む

発問1	なぜ「僕」は自分のちょうをつぶすのだろうか?
発問2	つぶすのではなく、ゴミ箱に捨てたらよかったのではないか?

「僕」は、どんなつぶし方をしているのだろうか。箱をひっくり返して、寝台の上にちょうをどさっとおくようなやり方ではない。一つ一つのちょうを大事に取り出している。つぶすだけなら、足で踏みつぶすこともできる。指でということは、時間をかけてつぶしていることがわかる。ちょうのつぶし方には、大切に、つぶすといったアンビバレンツな心情が見られる。ちょうを押しつぶすことは、ちょう集めをやめる、ちょうへの

熱情を自ら断ち切ることである。クジャクヤママユを台無しにした、そのような自分を罰するためにちょうをつぶす。自分で自分のしたことが許せないともいえる。しかし、それは許してくれないエーミールに対する恨みや思いが僕の中に残ることにもなる。自分で罰しても、それで解決するわけではない。この時に味わった苦しみやつらさを抱えてこれからは生きていかなくてはならないのである。

●1場面の意味を考える

発問1　「僕」がクジャクヤママユを盗みつぶしてしまったという話であれば、1場面はなくてもよい？
発問2　1場面があるのとないのでは、どう違う？

1場面で語られるのは、大人になった現在の「僕」（客）である。主人である「私」が、再びちょう集めを始めたのに対し、「その思い出が不愉快ででもあるかのように」とちょうに素直に向き合えない「僕」の姿が語られる。「僕」は、三十年が経過した今でも、「思い出をけがし」たことに苦い思いを持っているのである。「僕」の中では、「少年の日の思い出」は少年時代で完結しておらず、大人になった今にまでつながっている。「僕」は、「償いのできないもの」を抱えて生きてきたのである。2場面だけなら少年時代にあったこと、で終わる。1場面が加わることで少年時代の経験を大人の今も引きずっている姿が描かれ、より複雑な作品となっている。

3 『盆土産』 三浦　哲郎

(1) 作品の成立

一九七九年十月号の雑誌『海』（中央公論社）に発表され、一九八〇年『冬の雁』（文藝春秋）に収録される。その後、一九八八年の『三浦哲郎自選全集』（新潮社）第八巻に収録される。教科書掲載のものは、『冬の雁』所収のもの。自選全集との異同は形象よみで述べる。

(2) 登場人物・語り手・場面分け

○登場人物

小学3年の「私」（男）　姉　祖母　父親　喜作　バスの車掌

○語り手

「私」（一人称）

小学3年の「私」が語る形式をとっている。ただし、名前も自称も一切示されていない。文中の会話では「父っちゃ」、地の文では父親とするなど、小学3年が語れる内容ではない。大人になった「私」が、小学3年の視点から語っていると考えて、あえて「私」とした。

○場面分け

行空きで三場面に分かれる。（各場面はさらに細かく分けられる。詳細は形象よみで示す）

(3) 構造よみ

（光村図書　2年）

場面	範囲	内容
1	はじめ～河鹿がぴたりと鳴きやんだ。	父の帰省を待ちつつ、雑魚釣りをする。（えびフライへの期待と不安）
2	父親は、村にいるころから～雑魚はもうあらかたなくなっていた。	父の帰省。えびフライを食べる。（家族4人の幸せな夕食）
3	翌朝、目を覚ましたときも～終わり	墓参。そして父が東京に戻る。

○冒頭・発端　えびフライ、とつぶやいてみた……
○山場のはじまり　父親が夕方の終バスで……
◎クライマックス　バスが来ると、父親は右手でこちらの頭をわしづかみにして、〜「えんびフライ。」と言ってしまった。
○結末・終わり　……野太い声で車掌が言った。

何を事件ととらえるかが難しい作品である。父親の帰省ととらえるか、初めてえびフライを食べたことに焦点を当てるかでも意見が分かれる。見方によれば、作品中に大した出来事は起こっていないともいえる。

発端を父親の帰省ととらえるならば、[2]場面のはじめ「父親は、村にいる頃から……」も出される。ただ、帰省は前日の速達で知らされており、そこから家族は父親を迎える準備に入っている。その意味で、帰省はすでに[1]場面から始まっている。「ゆうべ、といっても、まだ日が暮れたばかりの頃……」の速達が届いたところからという意見も予想される。ここで家族は父親の帰省を知る。しかし、「ゆうべ」とあるように、この箇所は「私」が昨日のことを思い出しているところであり、時間が前に戻っている。冒頭の釣りの場面は、父親が帰る当日の朝の、それも父親を迎えるためのものであり、この時点で事件は始まっている。また、「えびフライ、とつぶやいてみた。」と、土産のえびフライに「私」の意識が向かってもいる。冒頭から父の帰省、そしてえびフライが意識されており、描写的でもあり発端にふさわしい。

クライマックスは、えびフライを食べた[2]場面の終わり「揚げたてのえびフライは、〜えもいわれないうまさが口の中に広がった。」あたりも予想される。ただ、そうなると初めてえびフライを食べた話となる。題名は「盆土産」であり、「えびフライ」ではない。初めてえびフライに出会った驚きや感動が語られていることに間違いはないが、作品全体を流れるのは、家族の互いを思いやる温かさである。父親は家族のことを思って、一日半の休みで東京から往復とも夜行で帰省する。それも手間のかかる冷凍食品のえびフライを抱えてである。「私」は父親のために雑魚を釣り、父親の好物のそばのだしの心配をする。盆土産は、家族を思う父親の気持ちであり、えびフライを中心に一つにまとまったこの家族のあり様を象徴している。

そうなると、「私」と父親との別れの場面が候補にあがってくる。ここで何が変わったのか。「私」は、「さいなら」と言うつもりが、「えんびフライ」と言ってしまう。きちんと別れを告げられないだけでなく、えびフライのことしか考えていないような誤解すら与えてしまった。ちょっと滑稽な父子の別れといえる。もう一つ、この時点まで「私」は「えびフライ」と言っているように語られているが（実際は「えんび」と発音しているはずだが）、ここではじめて自らの言葉を「えんび」と語る。つまり、「えんび」と発音したことを自覚しているのである。

帰省してきた父と迎える家族の互いを思いやる温かなあり様を、盆土産であるえびフライを中心に描いており、何かが大きく変わるという作品ではない。むしろ変わらないことが、物語の先にある変化を予感させる作品といえる。出稼ぎ家族の二日間の再会と別れを温かく描くことの意味を、形象よみの中で考えていく。

(4) 形象よみ（展開部 1場面～3場面前半）

えびフライについて、あれこれと想像を巡らすところから始まる。今では珍しくもないえびフライを「なじみのない」というところに、時代が読める。冷凍食品を扱う「加ト吉」（現在の社名はテーブルマーク）が冷凍食品のえびフライの製造を開始したのは一九六二年である。冷凍冷蔵庫が登場するのも一九六〇年代に入ってからである。また、一九六四年の東京オリンピックの前後は、その関連施設や新幹線や高速道路の建設が進められた。いわゆる高度経済成長の時代である。『盆土産』は、一九六〇年代前半あたりを背景にしている。一方的に教えるのではなく、えびフライなどを手がかりに、生徒が調べ考えていくようにしてもよい。

1場面は、三つに分けられる。①〈冒頭～えびフライ。どうもそいつが気にかかる。〉、②〈ゆうべ、といっても～「……うめもんせ。」とだけ言った。〉、③〈それは、父親がわざわざ東京から～足元の河鹿がぴたりと鳴きやんだ。〉河原で雑魚釣りをしている①③の間に、②の昨日のことが回想として入る。

①では、えびフライは「なじみのない言葉」であり、発音がむつかしいと語られる。読者からすれば、「なんで?」と思うところであるが、逆にそれが小説の世界に読者を引き込む力となっている。②に入り、えびフライが父親の土産であり、「見たことも食ったこともない」ことが語られる。このあたりになると、だいぶ昔の話ではないかと推察できる。③で、沼にいる小えびしか知らない「私」は、えびフライの調理法をあれこれ想像する。えびフライを軸として、「私」のいる時代や地域の状況が見えてくる。この時点では「分校」、姉が中学生であることから「私」が小学生であることはわかるものの、何年生かは示されていない。

「父親はいつも、干した雑魚をだしにした生そばを食わないことには自分の村へ帰ってきたような気がしない、と言っている」ところから、出稼ぎに出たのは少なくとも二～三年前と考えられる。父親のために雑魚釣りに出る「私」、「父っちゃのだし」や速達に「家中でひやり」とするなど、父親を思う家族のあり様はおさえておきたい。今なら電話ですむ用件が速達になっていることから、村に電話が普及していないこともわかる。

2場面も三つに分けられる。①〈父親は、～笑ってしまった。〉、②〈午後遅く～と通り過ぎた。〉、③〈普段、おかずの支度～もうあらかたなくなっていた。〉①ではドライアイスの描写が面白い。「盛んに湯気を噴き上げる氷」「そいつのほうから指先に吸い付いてくる」といった表現は、ドライアイスを知っている私たちにはほほえましく映る。

「長えひげのあるやつも捕れる」という父親の言葉を「冗談」と受け止める「私」のあり様から、伊勢海老を見たこともない「私」や村の生活が見えてくる。テレビのない家が珍しくない時代でもある。

[2]場面②のビールを谷川で冷やすことから冷蔵庫もない生活とわかる。喜作が「Tシャツをぎごちなく着て」と語るが、ここからも語り手が小学3年生ではないことがわかる。当時、Tシャツはまだまだ珍しいファッションであり、伊勢海老を知らない子どもがTシャツという言葉を知っているとは考えられない。

喜作の登場で、村に他にも出稼ぎの家庭があるとわかる。そして、Tシャツを着、腰に花火をさす喜作や思わず「えびフライ」と口に出す「私」のあり様には、父親が帰ってきたことのうれしさや土産を自慢したい気持ちが読みとれる。また、喜作との関係の中で「私」が小学3年生であることがわかる。喜作の説明が「私」の説明にもなるというまい語り方である。

『三浦哲郎自選全集』では、この場面に出てくる三回の「えびフライ」がすべて「えんびフライ」に改訂されている。二人の発音通りに語ることで、語り手が人物と距離をおいて語っていることがわかる。

[3]場面前半で、家族で墓参りに行く。ここで初めて母の死が明示される。「私」が母親の記憶をしっかりと持っていることから、母親の死は二～三年前のことではないだろうか。「まだ田畑を作っている頃に早死にした母親」から、母親の死がきっかけで父親の出稼ぎが始まったのかもしれない。この家族もかつては田畑を作り、村で暮らしていた。それが現金収入を求めて、出稼ぎへと変わってきたのである。しかし、村に生活手段がない以上、いつか父親が戻って一緒に暮らすことはあまり望めないだろう。祖母の元気なうちはよいが、祖母が死んだら子どもの面倒は誰が見るのか。姉も「私」も、いつかは村を出ていくのかもしれない。

[2]場面までは、えびフライを中心に展開する。[3]場面で父親の帰京と母親の死という新たな情報を語ること

で読者を引きつける。うまい展開である。また、墓参りで「私」は祖母が「えんびフライ」と言うのを聞く。祖母の口からも「えんびフライ」という言葉が出ることは、えびフライがこの家族にもたらした衝撃の大きさを表している。それとともに、ここまで「私」は「えび」と「えんび」の聞き分けができなかった。ここで初めて「えんび」を聞き分けたことになる。

父親の速達に「十一日」の日付がある。それを手掛かりに、出来事を整理しておく。

十一日　父親、夜行列車に乗る（夕方、家に速達が届く）　＊父親は十日に速達を出したと思われる

十二日　父親が帰り、夜にえびフライを食べる

十三日　午後、家族で墓参りに行き、父親は夕方のバスで東京へ戻る

3場面に一日半の休みしかもらえなかったとある。父親は、もともとの休みの一日を加えて二日半として帰省した。十一日は、仕事を終えた後に夜行に乗り、十四日朝、上野駅に着いて、午後からは仕事に行くのであろう。かなりの強行軍であり、ここからも父親の家族を大事に思う気持ちが読める。

(5) 形象よみ（山場の部　3場面後半）

「私」は、「村外れのつり橋」を渡り、バスの停留所まで父を見送る。村の外に出るのだから、少なくとも三十分くらいは歩くのではないだろうか。その間、親子の会話が弾むわけではない。父親は、正月にはもっとゆっくりできるように帰ると言う。すると「私」は「不意にしゃくり上げそうにな」る。別れの寂しさがこみ上げてきたのだろうか。でも「私」はドライアイスの話題を持ち出し、父親に泣き顔を見せることはしない。そんな「私」を気づかってか、父親は「頭をわしづかみ」して別れを告げる。互いを思いやる気持ちを持ちながら、どちらもそれをストレートには表現できない。

父親との別れの場面で「私」は、「さいなら」というつもりが「えんびフライ」と言ってしまう。なぜ「え

んびフライ」と言ってしまったのかと考えても意味はない。言い間違いである。大事なことは「私」が「えびフライ」ではなく「えんびフライ」と言ったと語っていることである。つまり、「私」は「えんびフライ」と発音した自覚を持っているのだ。それは「私」の中における田舎性の自覚であり、それが自覚できる分だけ、「私」の中の都会性が増したということでもある。ここまで「えびフライ」と言っているつもりで「えんびフライ」になってしまっていた「私」から、「えんびフライ」を自覚できるまでに「私」は変わったといえる。

2場面の喜作との会話では「えびフライ」と描いており、その意味ではこのクライマックスの場面が、作品中唯一「私」が「えんびフライ」と発音したことを自覚しているところになる。

父親は「いつもより少し手荒く」頭をつかみ、「まだ何か言いたげ」のまま、バスに乗り込む。一人称の語りであるからいつもより手荒く感じ、何か言いたげと見たのは「私」であり、父親の気持ちはわからない。「私」は、父親との別れにいつもとは少し違うものを感じている。それが何なのかは語られていない。

なぜ「私」は小学3年の時の父親の帰省を語るのだろうか。えびフライとの衝撃的な出会いがあったことは間違いない。高度経済成長の中で、人口は都会に流入し、農村の過疎化が進行していく。時代の流れの中にこの家族を置いてみる時、必ずしも明るい未来が見えるわけではない。大人になった「私」は、それを知っているが語ろうとはしない。物語の余韻の中で、読者がそれを想像するのである。

(6) 主題

出稼ぎに出ている父親と迎える家族の互いを思いやる温かさ。そして、そのような田舎での生活が遠からずできなくなることの予感。

(7) 吟味よみ

家族四人の温かい交流が描かれている。しかし、それだけでは不十分である。この家族の置かれている時代を読む必要がある。父親は東京へ出稼ぎに行っている。それも季節労働の出稼ぎではなく、通年のものである。この家族の生活を支える収入源は村にない。それゆえ、父親が村に帰ってきて四人（もしくは三人）で暮らす生活が訪れることはないだろう（一時の帰省は別にして）。姉も「私」も、いずれは村から出て行くことになるのかもしれない。家族四人の温かい生活は、一時の限られたものなのである。『盆土産』の時代を読むことは、このような時代の中の家族のあり様を浮き上がらせる。

(8) 対話的な授業づくりのための発問例

●『盆土産』の時・場・人物を読む

発問1　いつ頃の話か、どこが舞台になっているか、登場人物について、わかるところを探してみよう。
発問2　最初にまとめて説明しておく方がわかりやすくない？

冷凍食品のえびフライが登場するのは2場面、「私」が小学3年であることがわかるのは2場面半ばである。母の死が語られるのは3場面である。だからといって、内容がわかりにくいわけではない。えびフライをめぐるさまざまな謎（「私」の?であり、読者も?を持つ）で巧妙に読者を小説の世界に引き込んでいく。時・場・人物を読解の途中で、整理しておくことが生徒の理解を容易にする。描写の中で語ることで、説明的にならず、読者を退屈させずに、物語を展開させている効果にも目を向けられるとよいだろう。

4 『走れメロス』 太宰 治

（光村図書・東京書籍・教育出版・三省堂　2年）

(1) 作品の成立

初出は、「新潮」一九四〇（昭和15）年五月号。末尾に（古伝説と、シルレルの詩から。）と記され、小栗孝則訳『新編シラー詩抄』（改造文庫昭和12年）所収「人質　譚詩」（以下「人質」と表記）によったと考えられている。「人質」では「友達」としているが、同書巻末「註解」に「『友達』とは、伝説ではセリヌンティウスといふ名の男」と記されている。初出との異同はあまりないが、気になる箇所は形象よみで述べる。

(2) 登場人物・語り手・場面分け

○登場人物

メロス　ディオニス　セリヌンティウス　フィロストラトス

老爺　メロスの妹　妹の婿　山賊　少女　など

＊名前の有無が役割の大小を示している

○語り手　　三人称全知視点

主としてメロスに寄り添って語るが、王の内面も語っている。途中では、語り手がメロスと一体となり「私は～」といった語

場面	範囲	内容
1	はじめ～「あきれた王だ。生かしておけぬ。」	王の殺害に出向く。
2	メロスは、単純な男であった～初夏、満天の星である。	王との対決。三日の猶予をもらう。
3	メロスはその夜、一睡もせず～雨中、矢のごとく走り出た。	村で、妹の結婚式を挙げる。
4	私は、今宵、殺される～うとうと、まどろんでしまった。	激流を渡り、山賊を倒し、疲れて悪い夢を見る。
5	ふと耳に、せんせん～「万歳、王様万歳。」	シラクスを目指して走り、間に合う。
6	一人の少女が～終わり	少女が緋のマントを持ってくる。

り方をするところもある。三人称ではあるが、必ずしも客観的な語り手とは言い難い。メロスに入れ込んだ語り手のあり様には注意が必要である。

○場面分け

時・場・人物の変わるところを基本に分ける。5場面は、メロスが走るところと、刑場に着いて以降を分ける考えもある。そうすると七つの場面となる。6場面は、新たに少女が登場することを重く見て一つの場面とした。

(3) 構造よみ

○冒頭・発端　メロスは激怒した……
○山場のはじまり　ふと耳に、せんせん、水の流れる……
◎クライマックス　メロスはそれを目撃して～ついにはりつけ台に上り、つり上られてゆく友の両足にかじりついた。
○結末　……「万歳、王様万歳。」
○終わり　……勇者は、ひどく赤面した。

冒頭「メロスは激怒した。」は、老爺の言葉を聞いた後の「聞いて、メロスは激怒した。」と重なる。この前までが一つの段落で書かれている。冒頭からメロスと王との対立は始まっている。その後に、メロスの説明やなぜ王の殺害を考えるに至ったかを語る。それゆえ、冒頭＝発端と考える。王に三日間の猶予を乞わなければメロスが走ることもなかったことを理由に、そこを発端とする意見も出されるかもしれない。しかし、ここは事件の発展と見る方がよい。猶予を乞うことで、メロスの正義と王の悪徳の対立に加えて、メロスとセリヌンティウスの友情と信頼の問題が加わる。

クライマックスは、大きく二つ考えられる。一つは、「信じられているから走るのだ。間に合う、間に合わぬは問題でないのだ~もっと恐ろしく大きいもののために走っているのだ。」とメロスの走る意味が変わっていくところである。はじめメロスは「身代りの友を救うため」「王の奸佞邪智を打ち破るため」と考えていた。それが「悪い夢」を経て、大きく変わる。題名の『走れメロス』とも関係する。しかし事件は、メロスが間に合わなければセリヌンティウスが代わりに殺されるという状況の中で展開している。事件がメロスが間に合うかどうかを焦点として展開している以上、メロスが間に合ったところこそクライマックスにふさわしい。

事件は、メロスと王の対決を基軸として展開する。正義・信実を代表するメロスと邪悪・不信を代表する王ディオニスの対立である。その結果はメロスの勝利、正義・信実の勝利として終わる。そこに正義・信実・友情といったテーマが読みとれる。しかし、メロスやディオニスの人物像は単純には描かれていない。「単純な男」とされるメロス自身も、細部を見ていくとそうでもない。自分の弟となる婿に、結婚式を承諾させるのは「なだめ、すかして、説き伏せ」た結果である。山賊に対して王の命令かとメロスは言う。メロスの指摘が正しければ、王は刺客を差し向けたことになり、「おまえらの仲間の一人にしてほしい」とメロスたちに頼む王とは相容れない。単なる山賊であった場合、「人の心を疑うのは、最も恥ずべき悪徳だ」と言っていたメロス自身が疑ったことになる。セリヌンティウスを身代わりとしたメロスには、何をおいても彼を助けるように努める責任がある。にもかかわらずメロスは「間に合う、間に合わぬは問題でない」と、その走る目的すら変えてしまう。

『走れメロス』は、正義・信実・友情の物語という単純な骨格を持ちながら、細部の形象は、実に人間的であり、複雑に描かれている。作品の構造と形象とが相互に補完するのではなく、互いに背を向け、反対方向に向かうような作品といえる。構造に寄り添えば信実や友情の美しい物語として、形象を丁寧に読めば読むほど、人間的で複雑で魅力的な人物像が、時としては矛盾したメロスやディオニスの姿が浮かび上がってくる。それゆえ、個々の場面における形象の丁寧な読解が、作品の面白さをとらえるとともに、生徒たちの多様な読みを引き出し、対話的な学びを作り出すことにつながる。この作品の魅力はそこにある。

(4) 形象よみ（展開部 1～4場面）

1場面は「メロスは激怒した」と心情の描写から始まる。メロスの「激怒」や「邪智暴虐の王」を許せないという激しい感情をいきなり示すことで、読者に何があったのかと思わせて、作品世界に引き込む書き出しである。その後にメロスの紹介や、激怒までの経過が語られる。書き出しの効果とともに、メロスの人物像（職業・家族関係・性格など）をしっかりとおさえることが大切である。

シラクスの町の様子を怪しく思ったメロスは、老爺を問い質して王の殺害を決意する。行きずりの老爺の言葉だけで判断するのである。セリヌンティウスに事情を確認してもよかったのではないか。また、妹の結婚式を終えてから事に及べばよかったのではないか。2場面はじめで「単純な男」と語られるが、メロスの行動はあまりにも短絡的、衝動的である。メロスの行動に違和感を抱く生徒がいても当然といえる。

2場面で、王ディオニスが登場する。メロスが「邪智暴虐」と思った王は「威厳」を持ち、「顔は蒼白で、眉間のしわは、刻み込まれたように深」い。「人の心を疑うのは、最も恥ずべき悪徳だ」と何のためらいもなく言うメロスに対して「人の心は、あてにならない～信じては、ならぬ。」とつぶやく王は対照的である。王と対等にやりあっているかに見えたメロスが、急に語調を変えて（丁寧語で）三日間の猶予を乞う。そして、セリヌンティウスに断りもなく彼を身代わりに差し出す。王城に呼ばれたセリヌンティウスは、ためらうことなく身代わりを引き受ける。

メロスは、本当に王を殺せると思って王城に向かったのだろうか。それとも成算など考えもしなかったのか。あるいは、初めから捕まって三日の猶予を乞う計画だったのか。「無二の友人」とはいえ、本人の了解もなくセリヌンティウスを身代わりにすることに、ためらいはなかったのか。それにしても、自分が帰ってこなければ「あの友人を絞め殺してください」とまでは言い過ぎではないか。自己中心的といえるメロスである。ただ、それ程に二人の友情は確固としたものであったと読めなくもない。生徒は、メロスをどう評価するだろうか。そしてメロスは「初夏、満天の星」のもと、村へと向かう。帰ってくることに一点の不安も持っていないメロスの心情を表す表現である。

③場面は、三日の猶予の内の一日目と二日目が描かれる。「人質」では全く描かれないところである。メロスは、妹に明日結婚式を挙げると告げて、家に帰って眠ってしまう。婿に話すのはその日の夜のことである。「ぶどうの季節まで待ってくれ」という婿を夜明けまで「なだめ、すかして、説き伏せ」ての式である。①場面では「結婚式も間近か」と語っていた。それがぶどうの季節とはどういうことか。二ヶ月以上のズレがある。語り間違えか。それとも、式の日取りもメロスの勝手な思い込みだったのか。とすれば語り手は初めからメロスの心情に入り込んで語っていたことになる。メロスは婿を説得するために何を話したのか。少なくともシラクスでの出来事を話してはいないだろう。「すかす」には、言いくるめる・だますといった意味もある。妹との別れに「兄のいちばん嫌いなものは～うそをつくこと」と語るメロスだが、婿に嘘はついていないといえるのか。

式の最中、メロスは「王とのあの約束をさえ忘れ」、「このよい人たちと生涯暮らしていきたいと願」い、

「少しでも長くこの家にぐずぐずとどまっていた」いという「未練の情」を持つ。弱い心のメロスが描かれる。それは心の中だけのことであり、行動に現れたものではない。とはいえ、セリヌンティウスを身代わりに差し出したメロスである。彼への申し訳なさはあって然るべきではないか。物語の最後まで、メロスの中にその反省は見られない。そして、宴席を抜け羊小屋で眠る。なぜ、眠らずに一刻も早くシラクスへ戻ろうとしないのか。約束の刻限に間に合えばよいからか。雨が激しく降っていたからか。少なくともセリヌンティウスを思いやる気持ちは、ここからは読みとれない。

4場面では「私は、今宵、殺される」と、語り手がメロスと一体になって一人称のように語る。これまでも語り手はメロスに寄り添って語ってきた。これ以降は、メロスとの一体感がより強まり、地の文においても「私」が随所に登場する。それだけ語りの客観性が弱くなっていく。ようやく「故郷への未練」を断ち切り、「急ぐ必要もない。ゆっくり歩こう」とのんきに歌を歌いながら、ぶらぶら歩く。その間もセリヌンティウスは獄に繋がれている。しかし、メロスに一刻も早くと思う気持ちは起こらない。そして、最初の災難がメロスを襲う。大雨で橋は流され、舟はない。メロスはセリヌンティウスのことをはじめて思いやる。メロスは濁流を「満身の力」で泳ぎ渡り、先を急ぐ。そして第二の災難、山賊。この山賊は、王が放った刺客なのか。それともただの山賊なのか。両様の見方があり、「正解」はない。王の刺客だとすれば、「わしだって、平和を望んでいるのだが」と言い、最後に仲間に加えてほしいという王の心情や行動とは不整合を起こす。ただし、メロスを信じて疑わないセリヌンティウスの様子を見ることで、王はメロスが帰ってくるのではないかと不安を抱き、メロスの到着を遅らせるために、山賊を使ったという読みも存在する。また、メロスが王の心を疑ったのであればそれまでのメロスの言動との食い違いが生じる。

濁流を泳ぎきり、山賊を倒した疲れがメロスを襲う。「身体疲労すれば、精神も共にやられる」と語り手はメロスと一体化してその心情を語る。そして「ああ、何もかもばかばかしい。私は醜い裏切り者だ。どうとも勝手にするがよい」と「四肢を投げ出して」寝てしまう。「邪悪に対しては、人一倍に敏感」であったメロスが、王に対して堂々と「私は約束を守ります」と言っていたメロスが、妹に対し「人を疑うこと」「うそをつくこと」が嫌いだと公言していたメロスが、すべてを投げ出して寝てしまう。メロスの大きな変化といえる。メロスの弱さが最大限に表現されているだけに、逆に読者の共感を呼びやすいともいえる。「人質」には、この「悪い夢」の場面はない。

(5) 形象よみ（山場の部・終結部 5～6場面）

5場面、清水がメロスの疲れを癒やし「悪い夢」から覚める。ここからメロスの走り方が変わる。これまでは「王の奸佞邪智を打ち破るため」であり、山賊は「正義のため」と言って打ち倒した。これ以降は、「私は信頼されている」と繰り返し、「なんだか、もっと恐ろしく大きいもののために走っているのだ」とも語る。フィロストラトスの制止を振り切り、「訳のわからぬ大きな力に引きずられて走」る。信じることではなく、信じられることの重さが語られる（初出では「もっと大きい大きいものの為に走っている」「何かしら大きな力にひきずられて走った」とあり、作者の推敲の後が窺える）。

「人質」では、フィロストラトスはメロスの家の忠僕であるが、セリヌンティウスの弟子に設定が変わっている。セリヌンティウスの弟子が、走るのをやめてくれというのは、やや不自然な感がしないでもない。フィロストラトスの登場で、もはや「悪い夢」に心を揺さぶられることのない、信実のために無心で走るメロス像が強調される。

そして間に合う。メロスはセリヌンティウスに「悪い夢」を見たことを謝罪し、殴らせる。セリヌンティウスもメロスを疑ったことを告白し、メロスに殴ってもらい、二人は抱き合う。互いに一点の疑いの心を持ったことで、逆に二人の友情・信頼はより確かなものともなる。しかし、メロスは「悪い夢」のことは振り返るが、「未練の情」やのんきに歩いていたことなどは気にもとめていない。五臓の疲れのために「悪い夢」を見たと言うが、それでメロスは本当に変わったといえるのだろうか。

二人の様子を見ていた王は、「顔を赤らめて」「仲間に入れてくれ」と頼む。「顔を赤らめ」るところに、王がこれまでの言動を恥じている様子が読みとれる。メロスがそれをどのように受け止めたのは書かれていないが、群衆の「万歳」の声が受け入れたことを暗示する。人間を「信じては、ならぬ」と言っていた王は、本当に変わったのだろうか。これまで人を疑い続けてきた王が、この一事で改心したことを生徒はどう評価するのだろうか。

最後に少女が緋のマントを持って登場する。少女と緋のマントは、何の象徴と読めばよいのだろうか。裸を隠すためだけのマントであれば、少女が奉げる必要はない。少女の登場は、やがてメロスと結ばれることを暗示しているのか。緋のマントは、メロスの今後の出世を表しているのだろうか。「勇者は、ひどく赤面した。」は、冒頭「メロスは激怒した。」と対応した表現である。語り手は、メロスを真の勇者と讃えているのか。それとも赤面した勇者は、再び一牧人に戻るのか。いろいろな読みが可能となる終わりである。この場面も「人質」にはない。

(6) 主題

正義・信実・友情のすばらしさ、美しさ。

＊ただし、この作品は、テーマを読みとることよりも、個々の場面における表現をどう解釈し、メロスや王の人物像をどう理解していくかという、形象を読み深めるところに面白さがある

(7)　吟味よみ

形象よみで述べてきたように、この作品は細部においては多様な読みが可能である。細部にこだわって、どのように読むのか、また考えるか、つまり吟味の視点を取り入れることで授業は活性化する。ただし、すべての箇所を取り上げる必要はない（発問例参照）。

メロスの人物像についてどう思うか、あるいは王ディオニスの改心に共感するか、といった課題を最後に考えるのもよい。メロスに対しては共感するか、反発や違和感を持つのか、なぜそう思うのか、どこからそう考えるのかを本文中の表現に基づいて出し合い、最終的にはそれぞれの考えを意見文（二〇〇字程度）に書く。

(8)　対話的な授業づくりのための発問例

●クライマックスを考える

発問1　「走れメロス」のクライマックスはどこか？

発問2　メロスが「信じられているから走るのだ～」か、処刑に間に合ったところか、それぞれの理由を出してみよう。

発問3　この話をみじかくまとめると、メロスがどうした話といえるだろうか？

クライマックスを決めることだけでなく、そのことを通して作品の読みを深めていく観点を大事にしたい。はじめは正義のため、「王の奸佞邪智を打ち破るため」に走ると言っていたメロスが、悪い夢を経て「信頼されている」から走ると変わる。メロスが「信じる」のではなく、「信じられている」ことの重みに焦点が当たる。正義のため、信実のために走るのではなく、「もっと恐ろしく大きいもののために」走るのであり、「訳のわからぬ大きな力に引きずられて」走るのである。メロスのこの変化は大事である。それとともに、メロスが王に友人を身代わりに差し出して三日の猶予をもらい、友人の処刑前に戻ってきた話であり、その枠組みが事件の骨格になっていることをつかむ。

●「夜明けまで議論を続けて、やっと、どうにか婿をなだめ、すかして、説き伏せた。」を読む

発問1　メロスは婿をどのように説得したのだろうか？
発問2　「すかす」ってどういう意味？
発問3　メロスはシラクスでの出来事を婿に伝えただろうか？

妹夫婦に「おまえの兄のいちばん嫌いなものは～うそをつくことだ」と堂々と言い切るメロスである。ところがその直前では、婿を「なだめ、すかし」ている。シラクスでの出来事を伝えたならば、婿は即座に式をあげることは了解しただろう。いや、せざるを得なかっただろう。それどころか、メロスが帰るのを止めようとする、あるいは一緒にシラクスに行くといったかもしれない。つまり、伝えていないのだ。それは言わない嘘ではないか。「すかす」には機嫌をとる意味もあるが、言いくるめる・だますといった意味もある。夜明けまでメロスは婿に何を、どのように話したのだろうか。そこから、単純ではないメロスの人物像が読めてくる。

5　『握手』　井上　ひさし

（光村図書・三省堂　3年）

⑴　作品の成立

「ＩＮ・ＰＯＣＫＥＴ」誌（講談社）に一九八三年十月号から一九八五年十一月号まで断続的に掲載された短編連作小説（上野や四ツ谷といった東京のある場所を舞台にしている）の一つ。本作は一九八四年五月号に掲載、一九八七年、単行本『ナイン』（講談社）としてまとめられ、「ナイン」がはじめに、本作は終わりに配置された。『ナイン』は、一九九〇年に講談社文庫から出された。初出との異同は、ほぼない。

⑵　登場人物・語り手・場面分け

○登場人物

「わたし」　ルロイ修道士

＊ここからも明らかなように、事件は二人を中心に展開する

○語り手　「わたし」（一人称）

「わたし」は、一年前のルロイ修道士との出会いを思い出して語る。ただし、一年前とわかるのは最後であり、そこまでは現在進行しているような感じで語られている。特定の誰かに向け

場面	範囲	内容
1	はじめ～腕がしびれた。	二人の関係の説明、最初の握手の思い出
2	だが、顔をしかめる～そう思い始めたからである。	穏やかな握手そして戦争中のルロイ修道士
3	「日本人は先生に対して～顔は笑っていた。	「わたし」がぶたれた思い出
4	「先生はどこかお悪い～ルロイ修道士の指言葉だった。	ルロイ修道士の楽しい時
5	上野駅の中央改札口の前で～顔をしかめてみせた。	最後の別れの握手
6	上野公園の葉桜が終わる頃～おわり	後日譚

て語るのではなく、「わたし」の名前や職業なども語られてはいない。「わたし」の今が語られない分、相対的にルロイ修道士の存在が際立つことになる。

○場面分け

場面が、明確に分けられるところと分け方が揺れるところがある。6場面は、「わたし」がルロイ修道士と別れた後のことで、時間が決定的に異なる。次いで、5場面は場所が上野駅に変わるのでここも明快である。ルロイ修道士と会っているところは「現在」（会っている時を仮にこう呼ぶ）から過去へいつのまにか移行し、また「現在」へと戻ってくる。2場面のはじまりの「だが、顔をしかめる必要はなかった。」は、だいぶ前の「ルロイ修道士は大きな手を差し出してきた。その手を見て思わず顔をしかめたのは～」につながる。そのつながりが見えないと、意味がわからなくなる。場面分けを通して、作品の展開を丁寧におさえていくことが必要である。1場面～4場面の分け目は、絶対的なものではない。

(3) 構造よみ

○冒頭・発端　上野公園に古くからある西洋料理店へ……

○山場のはじまり　上野駅の中央改札口の前で……

◎クライマックス　わかりましたと答える代わりに～それでも足りずに、腕を上下に激しく振った。

○結末　……ルロイ修道士は顔をしかめてみせた。

○終わり　……両手の人さし指を交差させ、せわしく打ちつけていた。

「わたし」とルロイ修道士の出会いのはじまりが発端である。ただし、「わたし」とルロイ修道士の出会いから始まることはわかっても、この作品の事件の核が何なのかは難しい。

クライマックスとして、「わたし」がルロイ修道士に「死ぬのは～怖くてしかたがありません」と伝えるところやルロイ修道士の死を伝えるところなども候補にあがってくる。ただ、それ以前に、「わたし」はルロイ修道士の死を察知している。その意味では、変化としては弱く、ルロイ修道士だけの事件になってしまう。事件は、二人の関係性の変化としてとらえる必要がある。

クライマックスは、かつてルロイ修道士がしたような握手を、「わたし」がするところである。二人の立場の逆転である。それは、「わたし」がかつての保護される側から保護する側へと変わったことを示すとともに、ルロイ修道士の精神を受け継ぐことの表明でもある。題名も、それを示している。

(4)　形象よみ（展開部　1～4場面）

1場面の初めで、上野公園の西洋料理店と場所が示され、次いで「桜の花はもうとうに散って、葉桜にはまだ間があって、そのうえ動物園はお休み」と時が示される。四月中旬～下旬くらいの平日（動物園の休みは月曜）の昼である。平日の昼間が自由になることから、「わたし」は会社員ではなさそうである。

上野は、かつては東北からの玄関口であった。西洋料理店は、象徴的にいえば日本と西洋の出会いの場所であり、「わたし」とルロイ修道士が出会うのにふさわしい設定といえる。

最初に語られる昔の、「わたし」とルロイ修道士との握手は、クライマックスへの伏線ともなっている。「彼の握力は万力よりも強く、しかも腕を勢いよく上下させる」握手には、ルロイ修道士が「わたし」を心から歓迎する気持ちが込められている。そして、ルロイ修道士に対する「わたし」の信頼も、ここから始まっている。

2場面。二人は「穏やかな握手」を交わす。それはこの時点での二人の関係性を示すものといえる。また、地の文では「ルロイ修道士」、会話や回想場面では「ルロイ先生」と使い分けているところに、着目させたい。語り手の「わたし」は冷静に、客観的に語ろうとしている。語っている「わたし」と語られている「わたし」との間にはギャップがある。この時点では、表現に違いがあることを確認し、その答えは後に回せばよい。

3場面では、ⅰ右の人さし指をぴんと立てる、ⅱ右の親指をぴんと立てる、ⅲ両手の人さし指をせわしく交差させ打ちつける、三つの指言葉が示される。ⅰとⅱの意味は明確である。それに対して、ⅲは「危険信号」「おまえは悪い子だ」と否定的な意味が示されるが、「わたし」と対面しているルロイ修道士は「あのころと違って、顔は笑って」この指言葉をしている。またⅲは、作品の最後ルロイ修道士の葬式で「わたし」が「知らぬ間に」行うものであり、そこへの伏線となっている。

4場面で、「わたし」はルロイ修道士の訪問の意図をほぼ推察する。1〜4場面を通して語られるのはルロイ修道士の人柄であり、生き方である。さまざまな困難にもめげず、自らの人生を子どもたちの幸せのために捧げて揺るぎのない生き方である。

(5) 形象よみ（山場の部・終結部 5・6場面）

5場面は、ルロイ修道士の死を踏まえての二人の別れの場面である。「わたし」は、ルロイ修道士の訪問の意図を察知して「死ぬのは怖くありませんか」と問う。「わたし」の問いの意味を理解したからこそ、ルロイ修道士は、赤くなって頭をかくのである。ここに、二人の立場の逆転の兆しが読みとれる。ルロイ修道士の答えは、修道士らしくない。それだけに、人間的であり、「わたし」や読者もその考えに共感しやすくなっている。ただし、これがルロイ修道士の本音なのか、私を安心させるための言葉かはわからない。

クライマックスの「わかりましたと答える代わりに〜それでも足りずに、腕を上下に激しく振った。」は、昔の握手とは逆である。かつてルロイ修道士がしたような握手を、「わたし」がルロイ修道士に対してする。それは、ルロイ修道士への好意や愛情、感謝の気持ちを伝える握手であるとともに、ルロイ修道士の生き方や精神に共感し、それを「わたし」が受け継いでいくことの表明でもある。

この握手で「ルロイ修道士は顔をしかめてみせた」。「わたし」には、ルロイ修道士の内面は語れない。しかし、あえて「しかめてみせた」と表現することで、「わたし」の思いがルロイ修道士にもしっかりと伝わったことが示される。あるいは、ルロイ修道士は「しかめてみせた」ことがはっきりわかるように反応したのかもしれない。光ヶ丘天使園に入園する子どもたちを迎えるルロイ修道士の握手の力強さは、彼の歓迎や愛情の気持ちの表明であった。それは子どもたちにも了解されていたはずである。それゆえ、顔をしかめるのは、歓迎や愛情の気持ちを受け取った証ともなる。ルロイ修道士が最後の握手で「顔をしかめてみせた」と表現することは、「わたし」の思いがルロイ修道士に伝わったことを表す。少なくとも、語りの今（ルロイ修道士の死から一年後）の時点での「わたし」は、そのように思っている。だからこそ、ここは「顔をしかめてみせた」とする必要があったのである。

[6]場面。ルロイ修道士の死、そして「まもなく一周忌である。」と語られる。この一文がなくても、ストーリーに大きな支障はない。どうして再会から一年後の時間設定が必要だったのだろうか。

「わたし」は、ルロイ修道士の死から一年を経て、彼のことを想い出している。それは、「わたし」の心の中にルロイ修道士が生きていることの証である。この一文がなければ、ルロイ修道士の精神の継承は握手したその時限りのものとなってしまうかもしれない。一年後に語ることで、ルロイ修道士の思いをしっかり受け継いでいこうという、「わたし」の明確な決意がうかがえる。

なぜ「まもなく」なのか。「今日が一周忌」の方がより衝撃的ではないか。「わたし」はルロイ修道士と会った去年と同じ日に、西洋料理店を訪れて、語っているのではないだろうか。そうであれば、そこにルロイ修道士の思いを「わたし」が受け継いでいこうとする確固とした決意の表れが見てとれる。

また、「まもなく一周忌である。」という一文は、時間の順序からいえば、最後に置かれるのが自然である。ところがこの一文を前にもってきて、葬式で「わたしは知らぬ間に、両手の人さし指を交差させ、せわしく打ちつけていた。」と結ばれる。ルロイ修道士の癖である人さし指を打ちつける動作は、誰に対して、何に対してなされていたのか。ルロイ修道士が病気を隠していたことへの怒り、またルロイ修道士に対して何もしてあげられなかった自分自身に対しての怒りとも読める。あるいは、本当のことを何も話さず旅立ってしまったルロイ修道士に対し「お前は悪い子だ」と言っているとも読める。多様な読みが可能となる。

明白なのは、「わたし」がルロイ修道士の癖を「知らぬ間に」受け継いでいることである。それは、ルロイ修道士の思いや考えそして精神を受け継いでいることを表している。「わたし」の中にルロイ修道士が生きていることを、最後に印象付けて終わるのである。

(6) 主題

他者の幸福のために、自らの人生を捧げて悔いることのない生き方、そしてその精神を次のものが受け継いでいこうとすること。

(7) 吟味よみ

・語り手の「わたし」の現在については、ほとんど語られていない。なぜ、「わたし」について語られていないのか考える。（一人称の〈語り〉について考える）

一人称の語り手の作品は、これまで『少年の日の思い出』をはじめいくつか読んできている。その多くは、語り手自身のことを語るものである。『握手』は、語り手自身のことではなく、ルロイ修道士のことを語る。

その中で「わたし」のことが紹介される程度である。その意味では、これまでの一人称作品とは異なっている。この作品は、ルロイ修道士が変わる話ではない。事件の中心には、語り手である「わたし」がいる。ルロイ修道士の、他者のために働き、生きた姿を描くことで、その精神を「わたし」が受け継いでいこうとするのである。ルロイ修道士のことを語ることは、「わたし」がどのように生きようと考えているかを示すことでもある。それが題名でもある握手で、そして「わたし」が人さし指を打ちつける行為に象徴される。ルロイ修道士は、子どもたちの幸せのために働く。困難は分割せよと語る。そのようなルロイ修道士の生き方や考えが、「わたし」の中に受け継がれてゆく。さらには「わたし」を通して読者自身へも語りかけるものとなっている。

・「まもなく一周忌である。」という一文は、時間の順序からいえば、一番終わりに置かれるべきものである。本文のように書かれている場合と、最後に置かれた場合と、どちらの方がよいと考えるかを生徒に問い、意見の交流の後、二〇〇字程度の意見文を書かせるとよい。

(8) 対話的な授業づくりのための発問例

●『握手』を場面分けする

> **発問1** 大きく二つの場面に分けるとすれば、どこで分けるか？
> **発問2** 時間が大きく変わっているのはどこ？

二つに分けるというと、生徒は量的にある程度均等になるように分けることが多い。小説の場面は「時・場・人物」の三要素から成り立っている。分けることで、6場面だけが時間的に大きく変わっていることに気づかせる発問である。二つに分けることができたら、次には5場面が場所の変化で分けられることをおさえていけばよい。1〜4場面は、分け方によっては他の考えも可能である。ただ、過去と現在が入り混じる書かれ方であり、それがわかっていないと、話の展開についていけない。場面分けを通して話の展開をつかませたい。

●『握手』のクライマックスを考える

発問1　クライマックスはどこだろう?
発問2　変わったのは、「わたし」?　それともルロイ修道士?

「わたし」は、ルロイ修道士との会話を通して、彼が病気で死が迫っていることを察知していく。そこから、事件の変化をルロイ修道士の死に見ようとする意見も予想される。しかし、「わたし」はルロイ修道士の死を語ろうとしているのか。それでは、題名とのつながりも見えない。三つの握手がここでは語られている。三つの握手を比べることで、「わたし」とルロイ修道士の関係の変化が読めてくる。

●「まもなく一周忌である。」の意味を考える

発問1　なぜ語り手の「わたし」は、ルロイ修道士の死から一年が経過してから語るのだろう?
発問2　「まもなく一周忌である。」という一文があるのとないので、どう違う?
発問3　一年という時間は、「わたし」の中でどういう意味を持ったのだろう?

語り手が一人称であることをおさえるだけでなく、語る意味を考える問いである。それは小説の語りの仕掛けを考えることでもある。『握手』では、最後に語りの今（ルロイ修道士の死の一年後）が示される。語りの今は、語られたことと関わりがあるからこそ、示されるのである。一年という時間の経過こそ、「わたし」がルロイ修道士の精神を受け継いでいることを、より確かなものとして示すのである。

6 『故郷』 魯迅　竹内好訳

(1) 作品の成立

一九二一年五月、雑誌「新青年」（中華民国の新文化運動の中心的な役割を担った雑誌）に発表され、のちに魯迅の最初の作品集『吶喊』（一九二三年）に収録された、魯迅の代表作のひとつ。一九六〇年代から国語教科書に採用されている。色々な訳がある中で、教科書は竹内好の訳を用いている。

(2) 登場人物・語り手・場面分け

○登場人物

「私」　ルントウ　母　ホンル　シュイション　ヤンおばさん

○語り手

「私」（一人称）

「私」は帰郷から離郷までの出来事を振り返りながら語る。およそ二週間の滞在について、各場面を現在進行しているように語る。「私」という一人称が語ることによって、さまざまな出来事が「私」の目を通して映し出される。したがって、「私」の主観が叙述に表れやすい。

○場面分け

（光村図書・東京書籍・教育出版・三省堂　3年）

場面	範囲	内容
1	はじめ～異郷の地へ引っ越さねばならない。	帰郷。船の中から見える故郷への思い
2	明くる日の朝早く～今に来るかもしれない。」	故郷の我が家に到着。母との再会
3	このとき突然～それきり顔を合わす機会はなかった。	昔の故郷の回想。三十年近い昔のルントウとの思い出
4	今、母の口から彼の名が出たので～そんなことで四、五日潰れた。	ヤンおばさんとの再会
5	ある寒い日の午後～彼はシュイションを連れて帰っていった。	ルントウとの再会
6	それからまた九日して～おわり	離郷。船の中であれこれめぐらせた、希望に対する思い

基本的に時間の経過で分けられる。[1]場面は帰郷する船の中である。[6]場面は離郷する船の中で、[1]場面に対応している。どちらも少し距離を置いたところから「故郷」を対象化し、描こうとしている。[2]・[4]場面は、[1]場面の翌日の出来事である。どちらも同じ日の出来事だが、その間に三十年ほど前の出来事を描いた[3]場面が挟まれる。[2]場面と[4]場面が「現在」（故郷に滞在した二週間を仮にこう呼ぶ）であるのに対し、[3]場面は「過去」を回想している。[5]場面は、[4]場面から四、五日経ってのことであり、[6]場面は、[5]場面から九日ほど経ってのことである。滞在期間は二週間ほどになるが、主に描かれる場面は帰郷と離郷、それに挟まれた三十年前の回想、ヤンおばさんとの再会、ルントウとの再会である。

(3) 構造よみ

○冒頭　厳しい寒さの中を……
○発端　明くる日の朝早く……
○山場のはじまり　それからまた九日して……
◎クライマックス・結末・終わり　思うに希望とは～歩く人が多くなれば、それが道になるのだ。

「私」が二十年ぶりに故郷の家に降り立ったところが発端である。ここから「私」の目線から見た故郷の人々の様子や出来事が描写的に語られる。同時に事件が動き出すことがわかる。他の候補としては、三十年前のルントウが劇的に登場する「このとき突然……」もあがるが、そこは過去を回想してのエピソードが語られるところなので違うとわかる。

クライマックスは、「私」とルントウとの関係に大きな変化が起こるところということで、まず、「旦那様！……。」が候補としてあがってくる。三十年前の子どもの頃は、二人は階級差を意識することなく対等の関係をつくっていた。だが再会してみると、現在はその関係にはないことを「私」が知り、失望を決定的にするところがそこだからである。ルントウと再会する前に、ヤンおばさんの現在の姿にも失望するが、「私」にとって期待の人物とは描かれていないので、かえって、期待していたルントウに対する失望が強調されるよう仕掛けられている。「旦那様！……。」の前後の描写も、「私」の葛藤やルントウの変わりようを、かなりの分量を割いて描いていることからも、クライマックスと思わせる要素は十分にある。

しかし、事件はそのまま終わっているだろうか。「私」はルントウの変わりようにとても失望するが、ただ落胆したまま事件が終わっているわけではない。ルントウへの失望は次第に相対化され、離郷する船の中で、「私」は希望を抱いている。若い世代に「新しい生活」をもたせるという希望である。しかし、それは「偶像」にすぎず、絶望に等しいもので、実現する見通しはほとんどないと見ている。そして、まどろみかけた頭で、もう一度振り返ってみて、最終的に、希望はあるものともいえないし、ないものともいえないと結論づける。求めて行動する人が多くなればやがて実現することを思い描きながら、希望への一歩を踏み出そうとして終わる。

⑷ 形象よみ（導入部 1場面）

1場面は、「厳しい寒さの中」「真冬の候」から時を読む。季節は厳寒期である。「旧暦の正月の前」と述べるところから、新暦に移行したがまだ定着せず、生活実感では旧暦を使う時代と読める。これは「故郷」が発表された時代と重なり、清王朝の崩壊から近代を模索する混迷期とも重なる。当時中国は欧米や日本の外圧から、民族の独立と民主化を目指していたが、その考え方の違いから国内が対立し、人々の生活は混乱していた。

そんな時代の暗い世相が、厳寒期という舞台に反映していると読める。

場所は船の中である。故郷を目視できる場所から語っている。故郷に到着する前の、少し離れたところから語ることにより、故郷を相対化し、客観的にとらえようとしている。山場となる離郷の場面も船の中で語っており、導入部に対応した描き方になっている。

語り手の「私」は、「別れて二十年」とあるので、仮に青年期に出郷したとすれば年齢は四十歳前後である。今回の帰郷の目的は「故郷に別れを告げ」るためとある。久しぶりの帰郷にもかかわらず、懐郷による気分の高揚は見られない。冒頭から「寂寥の感」に満ちた暗い心境を語る。さらに、「片時も忘れることのなかった」故郷から美しさを探そうとするが、「言葉は失われてしまう」と語る。そこで、現在の光景も過去の記憶も両方否定して、そう感じるのは自分の心境が光景の見え方に影響するからと分析する。「私」は、自己を相対化し、客観的に自分の感じ方を分析できる思慮深い人物である。つまり、当時の中国社会の近代化の課題を背負う一知識人として設定されている。思慮深く、分析的にものごとを考えられる分、気苦労も多いと読める。[6]場面に書かれる「むだの積み重ねで魂をすり減らす生活」の伏線になっている。

「私」に郷愁に浸れるほどの心の余裕がないのは、家が何らかの経済的困窮を抱えて没落し、今や「他人の持ち物」となったからである。「明け渡しの期限は今年いっぱい」と差し迫っている。正月を迎える時期にそぐわない、厳寒期の引っ越しを余儀なくされた、切羽詰まった事情が事件設定になっている。

(5) 形象よみ（展開部Ⅰ [2]・[3]・[4]場面）

[2]場面では、「だが、とうとう引っ越しの話になった」から、引っ越しの話題はぎりぎりまで避けたかった「私」と母を読んでおきたい。自分たちが経済的困窮に陥ったのは事実だが、心情的には受け入れられないことが読める。後に「知事様」と呼ばれる立場にはないとわかる。

3場面では、子どもの頃、「私」がルントウをどう見ていたのか、二人はどのような関係にあったのかを読んでおきたい。まず、ルントウの登場のしかたに「私」の見方が表される。いきなり「紺碧の空」、「金色の丸い月」、「緑のすいか」と幻想的で色彩的な「不思議な画面」を映す。そこにルントウが現れる。「その下は」、「その真ん中に」と、カメラワークのように上から下へと視点を移す。また、「紺碧の空」と「緑のすいか」は昼間の描写、「金色の丸い月」と「チャー」の出現は夜の描写で、同時に成立する画面は現実的には考えにくい。幻想的で劇的に描くことで、「私」にとってルントウは美しい故郷の象徴のような存在であることが強調される。また、6場面にもほぼ同じ表現が出てくる。ここと対比しながら関連を読むことに意味がある。

「私」は地主の子、ルントウは「私」の家に雇われていた使用人の子であることから、社会的な階級差は二人にも及んでいた。当時は「父もまだ生きていたし、家の暮らし向きも楽で、私は坊ちゃんでいられた」とあるので、「私」は裕福な育ちである。家が没落して引っ越さなければならない理由は、父の死が関係しているらしい。ルントウの父が「私」の父に、ルントウに手伝わせる許可を求めたことから二人は出会う。「父はそれを許した。私もうれしかった。」とあるので、許認可を必要とする上下関係くらいの認識は「私」にあったと読める。ルントウは「人見知り」だが「私」には心を許し、「そばに誰もいないとよく口をきいた」とあることから、子ども同士に上下関係は意識されていなかった。ルントウが「私」に貝殻拾いやすいかの番に誘う際、「おまえも来いよ。」と言っていることから、対等に呼び合う関係にあったことがわかる。自然界と共存して得た知識や生活力をもつルントウは、「私」にとって「神秘の宝庫」である。「私」は、すいかは「果物屋に売っているものとばかり」と、消費社会しか知らない。だが、ルントウのところでは、喉が渇いてすいかをとって食べる人々のことを、「どろぼうなんて思やしない」という。農村ならではの、「おすそ分け」や「お互いさま」の共助の精神の存在も「私」には新鮮に映ったとも読める。それに対し、「私」や遊び仲間たちは、「高い塀に囲まれた中庭から四角な空を眺めているだけ」と、庇護と束縛の中で生きる存在のように卑屈に語る。また、「私」はルントウとの思い出を、「電光のように一挙によみがえり、私はやっと美しい故郷を見た思いがした」と語る。帰郷時の陰鬱な心境は、ルントウを思い浮かべることで一変する。それほどまでに美化して語るのは、現在の私がルントウの存在をそうとらえたからである。子どもの頃の思い出が、三十年の歴史を経る中で、いつしか「私」が描く理想を体現する姿として、勝手につくられてきたと読むことができる。それは、⑥場面において「希望」を「手製の偶像」と気づく伏線となっている。

④場面はヤンおばさんとの再会が語られる。その声は「不意に甲高い声が響いた」と耳障りに語り、肉が落ち老けた姿は「まるで製図用の脚の細いコンパス」と揶揄するように語る。筋向かいに住んでいて、青年期に出郷するまで顔を会わせていたはずなのに、記憶から削られた存在となっている。換喩として「コンパス」の呼称を使うなど、「私」は口には出さないが、明らかにヤンおばさんのことを嫌って語る。ルントウに対する眼差しとは大きな差がある。ヤンおばさんの描写からその差を読むことで、「私」の思いが見えてくる。

ヤンおばさんの描写からは、ルントウでは書き表せない、当時の中国の姿を描きたかった意図が見える。かつては「豆腐屋小町」と呼ばれ、美貌に長けて豆腐屋の広告塔として成功していたヤンおばさんだが、「一日中座っていた」とある陰には、古代中国の「纏足」という猟奇的な風習が見える。また、美貌という武器を失った今は、「身分のあるお方は目が上を向いている」とか「あたしたち貧乏人には……」などの嫌味や嫉みを重ね、「知事様」、「おめかけ」、「八人かきのかご」と話をでっち上げて怯ませ、「行きがけの駄賃」と合法を装って「手袋」を盗むという手段を使う。しかも、ヤンおばさんは「あの連中」の一人で、他にも存在するのである。つまり、ヤンおばさんは、昔から古い中国の支配構造の隙間に入って、媚びたり脅したりしながら、他人の力を利用して生きてきた存在として描かれている。それは支配と被支配が膠着化した中国社会の縮図で、

「私」はそこに絶望していると読める。る存在ではないと見ている。ルントウはその対極であり、権力に取り入ってずる賢く生きようとする存在ではないと見ている。

(6) 形象よみ（展開部Ⅱ　5場面）

5場面はルントウと再会し、「旦那様！　……。」の一言に「私」が強い衝撃を受けて失望する場面である。3場面に描かれる思い出のルントウと対比させながら、ていねいに読ませたい。生徒は短絡的に「旦那様！……。」と呼んだのは、「時間が経過したから」とか、「大人になったから」ととらえがちである。「私」がルントウに求めたものは、三十年間で仕立てた偶像かもしれないが、「私」がどう語っているかに着目させたい。「旦那様！　……。」と聞いて、「私」は「身震いしたらしかった」と、理解するより先に身体が反応したように衝撃を語る。「私」はルントウに対等に呼び合う関係を期待したが、そうならなかったことを「悲しむべき厚い壁」ととらえている。なぜそうなったかを、「私」の目はルントウの外見に向ける。「艶のいい丸顔」は「黄ばんだ色に変わり」、「古ぼけた毛織りの帽子」をまとっている。「私」の目はルントウの息子、シュイションにも目を向け、「いくらか痩せて、顔色が悪く、銀の首輪もしていない」と認める。ルントウにそっくりな息子、シュイションの経済的困窮を物語る。「ああルンちゃん――よく来たね……。」と、かつての呼称でルントウに声をかけるが、そこには逡巡がある。そして、ルントウにも「喜びと寂しさの色」と逡巡を認め、葛藤した末に「旦那様！……。」と発したと語る。母がルントウに「昔のように、シュンちゃん、でいいんだよ。」と促しているところから、「シュンちゃん」と発しそうだったかのような描き方になっている。だが、それは「私」の見方である。「私」の未練さが意味づけしたとも読める。

ルントウは母に向かって、「めっそうな、御隠居様（中略）あの頃は子供で、何のわきまえもなく……。」と言い訳する。ルントウにしてみれば、階級差にしたがって生きるのが常識で、ここで私はルントウに期待していたものが一方的な思い込みだったことに気づかされる。それが「悲しむべき厚い壁」だと読める。だが、それは「私」が勝手につくったものだと気づくと同時に、ルントウに罪がないことも理解しはじめていると読める。だから、「私」は次第にルントウを相対化する。「顔にはたくさんのしわが畳まれているが、まるで石像のように、そのしわは少しも動かなかった」と、ルントウの苦悩を表情から読みとりながら、「みんな寄ってたかって彼をいじめて、でくのぼうみたいな人間にしてしまった」と、ルントウの変貌の要因を社会状況の悪化にあると語る。ヤンおばさんと同様、ルントウも支配構造に取り込まれてしまったと「私」はとらえたと読める。どちらも中国社会に抑圧された人々として描くが、ヤンおばさんは支配構造の隙間を巧みに利用しようとしているが、ルントウは支配構造の抑圧に何の抵抗もせず、もろに受け止めている。そこに違いが見える。これが6場面の「私たちの経験しなかった新しい生活」を導く伏線になる。

ところで「シュンちゃん」の呼称は、作者「魯迅」の「(ルウ)(シュン)」に由来すると思わせる仕掛けがある。魯迅の本名は「周樹人(チョウシュウレン)」であるので、「シュンちゃん」ではない。「私」を「魯迅」と思わせることで、魯迅自身の弱さを作品とともに読ませる意図があったのではないか。

(7) 形象よみ（山場の部　6場面）

6場面で、「船はひたすら前進した。」と、船が速度感を持って離郷する様子から、故郷への未練を払拭して、前を見据える「私」を読ませようとしている。しかし、向かっている先は「二千里の果て」の今の居住地で、故郷を喪失した今、拠点はそこしかない。前途洋々で向かっているのではないと読める。そこへ、ホンルが発した「だって、シュイションが僕に、家へ遊びに来いって。」の一言が「私」の胸に突き刺さる。「大きな黒い目をみはって」「じっと考え込んでいた」ホンルは、願いが叶いそうにないことを承知していると「私」はとらえる。そして、ルントウが碗や皿を盗み出そうとしたことを知り、さらに失望を深くする。「古い家はますます遠くなり、故郷の山や水もますます遠くなる」が、「だが名残惜しい気はしない」と、故郷を相対化する。「自分だけ取り残されたように、気がめいるだけ」と、孤立感を深めるが、逆にアイデンティティを自覚することになり、「今、自分は、自分の道を歩いているとわかった」と再認識したと読める。賛同してくれる人は周りに見られず、孤立した生き方だが、他の人が誰もやらないならば、それが自分に課せられた使命ではないのかととらえたと読める。

だが、ホンルとシュイションらの若い世代にもたせたい「新しい生活」とは、「私」のように、精神的に疲弊しても成果が実らない生活でもなく、ルントウのように、支配構造の抑圧に抵抗もせず、受け止めるだけの生活でもなく、他の人のように、支配構造の隙間を巧みに利用して法も無視する生活でもないと語る。「他の人」とはヤンおばさんのことだとわかるように語るが、意識の外に置こうとする「私」の容赦なさが見える。「私」たちの誰もが今まで経験したことのない「新しい生活」であることから、希望の内実は、絶望した中国社会を新たに創造することと読める。

しかし、「私はどきっとした」と、また絶望に襲われる。ルントウが香炉と燭台を所望したことを「偶像崇拝」と笑ったのだが、自分の求める希望も「手製の偶像」にすぎぬと言う。それは、三十年前から勝手につくり上げてきたルントウのイメージが「偶像」であったと同じように、新たな中国社会の創造を語る希望も、自分の思い込みに等しい「偶像」だと気づいたと読める。ただ、「旦那様！……」の時のように、絶望を目の当たりにしたわけではないとも読める。

最終的に「私」がどう結論づけたのかを知るところに、3場面で語ったのとほぼ同じ情景描写が現れる。「まどろみかけ」ているから描かれ方は抽象的である。それは希望が具体的には描けないものであることとも重なる。「緑の砂地」にはすいかのイメージが残る。それが「紺碧の空」「金色の丸い月」と、下から上へ描かれる。なぜここに描くのかを考えると、絶望の中にも希望を描こうとする「私」の思いが読めなくもない。

その上で「思うに希望とは、」と結論づける。しかし、「もともとあるものともいえぬし、ないものともいえない」と、方向を決定づけてはいない。考えてはみたものの、絶望を覆すまでは至らなかったと読める。そして、「それは地上の道のようなもの」とたとえる。さらに、「もともと地上には道はない。」と、道の成立過程に着目させて意味を解かせようとする。「歩く人が多くなれば、それが道になるのだ。」と、「道になる」に希望を重ねる。だが、「道をつくる」というような意図的な言い方ではないところから、希望がこの先どうなるかについては言及していない。それは「私」の意思を超えた力にゆだねたとわかる。結局は、長い時を刻み、多くの人々が踏み固めた歴史の上に道はできるもので、今ここでできるかできないかを結論づけられないと考えたと読める。だが、だからといって、希望を放棄したわけではないことも結論づけたと読める。

(8) 主題

現実の故郷を知ることで美しかった中国社会を喪失し、当時の中国社会に絶望を抱くが、それでも希望を信じ、諦めることなく求め続けようとして、一歩前に進めようとする人の生き方。

(9) 吟味よみ

・故郷での出来事が、帰郷と離郷という船の中の場面に挟まれて語られている。そうした場面構成にした意図は何かを考える。

帰郷時は、故郷を目視できる場所から語ることで、故郷を対象化し、相対化して客観的に描こうとしている。山場となる離郷の場面では、故郷から遠ざかる船の中から見ることで、思いが未来へ向かっているように読める。

・「紺碧の空」「金色の丸い月」という象徴的な表現を使った情景描写が二カ所出てくる。対比することがどのような読みにつながるのかを考える。

展開部と山場の部とでは、同じく描かれるものと違うものがある。また、描き方の方向性にも違いが見える。さらには前者は具体的に描かれるのに対し、後者は抽象的に描かれる。同じく描かれるものからは、「私」にとっての「美しい故郷」のイメージが読める。方向性の違いは確定的には読めないが、いろんな意味づけができそうである。具体的と抽象的の違いは、「ルントウの登場」と「まどろみかけた」との局面の差とも読めるが、希望を具体的に描けないことを象徴的に表しているとも読める。

(10) 対話的な授業づくりのための発問例

●『故郷』のクライマックスはどこだろう?

発問1 そこで何が、どう変わったのだろう?
発問2 6場面は必要だろうか?

多くの生徒が「旦那様! ……」に着目することが予想される。理由を聞いても、その衝撃の強さから直感的にとらえる声が多く出そうである。そこでは「何が、どう変わったのか」を問い、考えさせたい。仮に「ルントウ(故郷)への期待が失望に変わった」との意見が出れば、それとは対照的な「私」の思いを探させたり、5場面で話が終わっても成り立つが、6場面は必要だろうかと考えさせたりすることができる。それによって、「希望」に向かって一歩踏み出そうとしているメッセージ性の存在が見えてくる。

●「希望」という考えが浮かんだ時、「どきっ」としたのはなぜだろう?

発問1 「偶像崇拝」と「手製の偶像」の違いは?
発問2 「希望」はどうなったの?

ルントウが香炉と燭台を所望した時に、「相変わらずの偶像崇拝だな」と、信仰に執着する姿に違和感を覚え、そんなものにすがっても問題は解決しないと「心ひそかに彼のことを笑った」はずの「私」だったが、よく考えてみると、自分の求める「希望」も非現実的な妄想にすぎず、ルントウの「偶像崇拝」に等しいと気づかされ、笑った自分を逆に笑うような、強い絶望感に襲われているところに気づかせたい。「偶像崇拝」という意味が難解で、生徒たちにとっては抵抗を感じる言葉なので、自分の家の仏壇や神棚を想起させ、身近なところにあるものとして理解させたい。その上で、「希望」が「絶望」に変わって「どきっ」とするわけだが、最後の「それは地上の道のようなものである」という比喩をどう解釈するかについて議論することで、最後、展望をもちながら作品が閉じられていることを確認したい。

●「紺碧の空」「金色の丸い月」を使った情景描写が二カ所出てくる。そこにはどんな意味があるのだろうか？

発問1　両者の描き方にはどんな違いがある？
発問2　その違いからどんなことが読めるだろうか？

まず描写されているものといないものの違いに気づかせる。その違いが何を意味しているのかを考えさせる。あとの描写でルントウが描かれていないことをどう読むかについては、碗や皿を盗み出そうとしたことによるイメージダウンをあげる声が多いと予想できる。ただ、語られている位置的に、「未来をイメージしているとすればどうか」などの助言を打つことで「私」もルントウも存在しない、「希望」のイメージを読む意見も予想される。次に、描写されるものの方向性の違いについても議論させる。子どもたちは「すいか」の有無にもこだわる可能性があるが、「海辺の広い緑の砂地」で、すいかの存在に気づかせたい。そして、ルントウから聞いたすいかの話に立ち返りながら、想像的で創造的な読みを交流させることで対話的な授業をつくることができる。

7　随筆『字のない葉書』　向田　邦子

（光村図書・東京書籍　2年・三省堂　1年）

場面	範　囲	内　容
1	はじめ～あの葉書ということになろう。	手紙の中で、日常とは異なる父の姿を見せる。
2	終戦の年の四月、～おわり	妹の肩を抱いて声をあげて泣く、父の姿を見せる。

(1)　作品の成立と背景

初出は、雑誌「家庭画報」（一九七六年七月号）の「心に残る一通の手紙」というシリーズ連載の第七回である。教科書本文との異同は、ほぼない。現在は『眠る盃』（講談社文庫）に所収。筆者が女学校時代に父からもらった手紙のエピソードと、妹の疎開にまつわるエピソードの二つを回想する随筆である。

(2)　場面分け

行空きによって、1場面と2場面の二つに分かれる。どちらも郵便物を通しての思い出を語っている。1場面は女学校時代に父が「私」にくれた手紙のことを述べている。2場面は、妹が疎開に行ってから戻ってくるまでのことを、妹の葉書と関わらせて述べている。二つのエピソードを語るが、1場面は父と「私」のことであり、2場面は父と妹のことである。1場面と比べて2場面の「私」は第三者的で、述べ方も客観的であり、心理的な距離をおいて語っている。また、この随筆は事件性もあるので小説的な構造よみも可能である。

(3)　1場面の読み

「私」が女学校の一年、現在の中学一年の年齢の時に、親元を離れることになったときのことを回想する。家族は父の転勤に伴い東京に引っ越してきたが、編入試験の都合で「私」一人が、まだ父の前任地にいた。その時に「私」に届いた父からの手紙について語っていく。名前は「呼び捨て」にされ、「罵声やげんこつは日常のこと」で、「ふんどし一つで家中を歩き回り、大酒を飲み、かんしゃくを起こして母や子供たちに手を上げる」、「暴君」としての父の姿が描かれる。しかし、父からの手紙は、日常の父とはまるで違っていたという。手紙の中では「威厳と愛情にあふれた非の打ちどころのない父親」だったというのである。「三日にあげず」「手紙は一日に二通」とは、父がほとんど間を置かず一学期の別居期間中、毎日のように手紙を出し続けたことを表している。おそらく五十通は超えていたであろう。しかし内容は社宅の間取りや植木の種類に、「私」の勉強についての訓戒を添えたものである。わざわざ知らせなくてもよいことともいえる。つまり、父には手紙を書かなくてはならない用事があったわけではない。冒頭、「死んだ父は筆まめな人であった」とあるので、確かに筆まめさはあったのであろう。しかし、輪ゴムで束ねられるほどの量は、普通ではない。しかも、その手紙を「～殿」という敬称で送ってくる。普段は「おい、邦子！」と呼び捨てにしていたにもかかわらず、手紙では自分の娘を敬う形式で送ってきている。ここから、それほど娘のことが気になって仕方がない父の姿が見える。父の「私」への心配、気づかいが読める。この時の「私」の別居の理由が自分の転勤の影響であることも、頻繁に書かせた要因であるかもしれない。まだ成人には遠い、女学校一年の娘が、自分の仕事の都合で離れている。その現実が父を一層の筆まめにしたといえるのではないだろうか。

「私」も、日常の父と「非の打ちどころのない」手紙の中の父との違いに、自分を気づかう思いを感じたに違いなく、手紙の中の「優しい父の姿」を振り返っている。手紙の中の「威厳」と「愛情」からは、落ち着いた父の姿が想像できる。「他人行儀」で「照れ性」とは、恥ずかしがり屋で、あまり自分の気持ちを表に出さない一面があることを伺わせる。そのような父の姿を「私」は回顧する。

そして「この手紙もなつかしいが」と、他にも何かあるような述べ方で、続けて「最も心に残るもの」が、「父が宛名を書き、妹が『文面』を書いた、あの葉書」であると語る。これに読み手は意外な思いを抱く。通常、宛名と文面は同じ人物が書く。そして文面という言葉にはカギ括弧がつき、「あの葉書」と思わせ振りに表現する。いくつもの謎をしかけ、伏線をためて、読み手の気持ちをつかむ書き方である。「心に残る一通の手紙」という連載タイトルにも応じた書きようである。「私」への手紙が「心に残る」ものだと思って読んでいた読み手は、ここで妹の「葉書」の方が、そうであると知る。いったいどのような葉書なのかと関心を引く仕掛けとなっている。

①場面では、日常の父はどんな父か、それに対して手紙の中の父はどうだったかを、それぞれ整理して読むことで、語られてない父の「私」への気づかい、心配、愛情という思いを読みとることが必要である。

(4) ②場面の読み

葉書は妹の意志で出されたものではなく、父の指示によって出されたものである。準備は父がしたが、その「おびただしい葉書」とは、一体何枚くらいだろうか。三月目に母が迎えに行ってるが、四月に疎開することになったのだから、少なくとも三ヶ月以上の疎開ではなかったのだろうか。そうすると「かさ高な葉書の束」は、百枚以上はあったのではないか。父は百枚を超える葉書に自分宛の宛名を書いたのである。幼い娘を心配する父の姿である。「威厳と愛情」に満ちた父の姿は①場面と重なる。②場面は、父が宛名を書いた、この葉書が大きく取り上げられる。

疎開当初、妹は父からの言いつけを守るが、最初の大マルはあっという間に小さくなり、バツ印になり、葉書自体がこなくなるという変化を見せる。上の妹が見に行った時は梅干しの種をはき出して泣いたという。母が迎えに行った時はしらみだらけの頭で寝かされていたという。これらの事実を父がいつ知ったのかを読むのは難しいが、ひょっとしたら、妹が疎開から戻ってから聞いたのかも知れない。

しかし、幼い娘が帰ってくる時の父には、すでに変化が見える。いつもなら叱るはずの小さいかぼちゃの収穫に何も言わない。つまり、妹を喜ばせることなら何でも許されているのである。それほど、幼い娘の「葉書」の変化は父にとって衝撃だったといえる。葉書が来なくなったという意味は大きい。それは命を助けようとして疎開させた行為が、反対に幼い娘の身体を悪くしてしまう結果を招いたからである。こうした状況の中で幼い娘は疎開先から自宅に帰ってくる。

幼い娘が帰ってくる場面では、もう「葉書」は登場しない。しかし、読み手もそのことは気にならなくなっている。妹がどうなったのか、そこに読み手の関心は移っている。「茶の間」にいる父は、普段通りに座っている。しかし、「はだしで表へ飛び出した」という表現には、本当は待ちきれない、心配でたまらなかったという気持ちが如実に表れている。なりふり構わず、履き物を足につっかける間も惜しむほど内心は気が気ではなかったのである。「防火用水桶の前」は、人々の共用の場であり他人の目が注がれる所である。そんなところまではだして駆けていく。周りの事も気にしていられない父の姿である。「声を上げて泣いた」父には、もう恥も何もない。父としての面目、体裁、人目、威厳、など何も気にせずはばかっていない。一人で疎開先にやってしまった心配、辛い目にあわせてしまったことへの謝罪、無事に帰って来てくれたことへの安堵の思い、といった多くの気持ちが、泣いた姿から読める。

葉書の変化を直接受けとる立場の父の心配は計り知れなかったはずである。恐らく葉書が来るたびに心配しながら確認していたに違いない。当初、幼すぎて手放そうとしなかった妹を、その妹だけでも助けたいと疎開させたことを後悔していたのかもしれない。

「私」にとって父の変化は「手紙」の中だけの出来事であった。しかし、今度の父は妹の疎開という事件を通して、目の前で変わったのである。「私」にとっては初めて目にする、見たことのない父だったのである。「私は父が、大人の男が」と言い直しているのは、自分が父や大人の男に対して抱いていた印象を覆されるほどの人物像であったということである。

さらに、1場面の手紙の中でみせた威厳と照れ性、普段の暴君という父親像がすべてひっくり返る。1場面全体で示した父親像が2場面への大きな伏線となっているのである。ただし、娘たちを心配する父の愛情は、二つの場面を通して変わっていない。いろいろな側面から見せる父の愛情を、この随筆は表現している。

そして、このような経験を、父の年齢を超えている現在、思い出深い出来事として振り返っている。事件は小説のような展開を示すが、それはもはや現在のものではなく父を偲ぶ思い出であり、懐かしみ回顧することを、事件性のある描写によって表現しているところにこの随筆の特筆すべきうまさがある。

(5) 吟味よみ

作品の内容と題名がズレている。「字のない葉書」という題名は、父の変化に直接関わってこない。字のない葉書は、2場面のエピソードで、父が泣くときに登場しない。題名は、内容のメインではない。しかし、読み手に、それを気にせず読ませるうまさがある。そもそもシリーズ連載のタイトルは「心に残る一通の手紙」である。このタイトルからも離れた内容である。自分への手紙は「かなりの数」にのぼり、妹へは「おびただしい葉書」を持たせている。「一通」ではまったくない。しかし、それでも題名に違和感がないのは、「あれから三十一年。……」という最後の段落が、この随筆全体をまとめているからである。1場面で振り返った父親像を2場面で逆転させ、2場面でみせた父親像も「初めて見た」と、今まで見せなかった側面を描く。思い出の中の父は変化し、様々な人柄を示すが、娘たちへの深い愛情は変わらないという共通点を持って語られている。そして声を上げ泣く父親を振り返った後で、最後にもう一度、妹の葉書に話を戻して、うまく話に終わりをつけている。最終段落の存在によって、「字のない葉書」という題名が読み手に自然と意識されるような役目を果たしている。ここに向田の語りのうまさが表れている。

(6) 対話的な授業づくりのための発問例

●1場面と2場面の父を読む

発問1 1場面で語られる父親像をまとめよう。
発問2 1場面では見せなかった2場面の父親の姿をまとめよう。

「日常の父はどうだった?」「手紙の中ではどうだった?」と整理して、「私」への愛情を読ませる。そして「ほかに読めるところはない?」と聞いて、多く出させると活発な発言となるであろう。

2場面では、1場面の「照れ性」「他人行儀」「暴君」という父の姿が、すべて崩されていく。なりふり構わず娘の肩を抱いて泣くような、父の意外な一面を明らかにする。

どちらも郵便物を通しての愛情表現である。姉には手紙を通して、妹には直接肩を抱くという身体表現で、という違いがある。「私」はその点で嫉妬を覚えたかもしれない。確かに、1場面と2場面とでは、父はまったく見たことのない父親像を見せた。しかし、二人を思う愛情は共通で、その点で父は何も変わっていないといえる。その思いを、「愛情」という言葉を、文中でさりげなく一度使うだけで読み手に伝えていることにこの文章のうまさがある。この随筆は、1場面と2場面の二つを通して、父親の娘によせる深い愛情が読めてくるのである。

第2節 説明文・論説文

1 『「言葉」をもつ鳥、シジュウカラ』 鈴木 俊貴

（光村図書 1年）

(1) 教材の説明と文種

シジュウカラの「ジャージャー」という鳴き声が「ヘビ」を意味する「単語」であるという筆者の仮説を、二つの実験から検証している。十七段落からなる展開型（帰結タイプ）の論説文。

(2) 構成よみ

5段落①文で、シジュウカラの「ジャージャー」という鳴き声が、警戒すべき対象としての「ヘビ」を意味する「単語」になっているのではないかという、文章全体に関わる仮説を立てている。6段落では、鳴き声を聞いたシジュウカラがヘビを警戒するようなしぐさを示すかどうかを調べるという検証の前提を述べているので、5段落までが〈序論〉、6段落以降が〈本論〉となる。

2段落④文の、シジュウカラのさまざまな鳴き声にはそれぞれ意味があり、それら全体で「言葉」になっていることを話題提示とする考え方もある。しかし、この文章では、「ジャージャー」

序論	本論			結び
5～1	14 ～ 6			17～15
	本論1 6	本論2 10～7	本論3 14～11	
問題提示	実験の前提	鳴き声を聞いてどのように振る舞うかの実験	ヘビの姿をイメージしているのかの実験	結論と新たな問題提起

構成表

という鳴き声が「ヘビ」を意味する「単語」であることを論証しているだけなので、その考え方は当たらない。[15]段落①文で、二つの実験の結果から「ジャージャー」という鳴き声を聞いたシジュウカラがヘビを探す際に役立つ特別な行動を取ることがわかったというのは〈本論〉のまとめである。②文で「ジャージャー」という鳴き声は「ヘビ」を意味する「単語」であると結論づけており、〈序論〉の問題提示に対応しているので、[15]段落からが〈結び〉となる。

仮説を検証するための実験方法を述べている[6]段落を〈本論1〉、一つ目の実験「鳴き声を聞いたシジュウカラがどのように振る舞うのか」が述べられている[7]～[10]段落を〈本論2〉、二つ目の実験「シジュウカラが、実際にヘビの姿をイメージしているのか」が述べられている[11]～[14]段落を〈本論3〉とする。[10]段落は〈本論2〉の実験結果の不十分さを指摘しているので、〈本論2〉に含める。

〈本論1〉の前提を踏まえて一つ目の実験が行われ、その結果を踏まえて、二つ目の実験が行われて仮説を検証し、最後に結論として筆者の考えを述べているので、展開型（帰結タイプ）の論説文といえる。

(3) 論理よみ

【序論】（[1]～[5]段落）

[5]段落①文の、シジュウカラの「ジャージャー」という鳴き声が、警戒すべき対象としての「ヘビ」を意味する「単語」になっているのではないかという「仮説」が、文章全体の問題提示となっている。[1]段落はシジュウカラの紹介をしている。[2]段落で、シジュウカラのさまざまな種類の鳴き声にはそれぞれ意味があり、それら全体でシジュウカラの「言葉」になっていると考え、研究していると述べている。[3]・[4]段落では、繁殖したシジュウカラの様子を観察している際に、巣箱のひなを食べようとしたヘビに遭遇したシジュウカラの親鳥が、他の天敵のときとは異なる「ジャージャー」という鳴き声を発したことを、初めて聞いたと述べている。

そして、そのことがきっかけとなって、[5]段落の問題提示につながっている。

【本論1】（[6]段落）　柱は、[6]

シジュウカラの「ジャージャー」という鳴き声がヘビを示す「単語」であるかどうかを調べるために、鳴き声を聞いたシジュウカラが、ヘビを警戒するようなしぐさを示すかどうかを調べるという実験の前提を述べる。「どうすればよいのでしょうか」という①文の疑問に対して、その答えとなるのは、「どのように振る舞うのかを詳しく調べてみることにしました。」という④文である。しかし、その振る舞いがヘビを警戒するようなしぐさでなければ、ヘビを示す「単語」とはならない。よって、①文の疑問の答えとなっている⑤文が、〈本論1〉の柱の文となる。

〈本論Ⅰ〉の要約
「ジャージャー」という鳴き声を聞いたシジュウカラが、ヘビを警戒するようなしぐさを示すかどうかを詳しく調べてみることにした。（61字）

【本論2】（[7]〜[10]段落）　柱は、[9]・[10]

[6]段落の前提を踏まえて、[7]段落では録音した「ジャージャー」という鳴き声をヘビのいない状況で流し、シジュウカラの行動変化を観察する実験をしている。[8]段落で、地面を見下ろしたり、巣箱の穴をのぞいたり、普段とは明らかに異なるしぐさを示したと、その実験結果を述べている。[9]段落ではその実験結果から、「ジャージャー」という鳴き声を聞いて地面や巣箱を確認しに行くことは、親鳥がヘビの居場所をつき止める上で大いに役立つと考えられると考察している。しかし[10]段落では、「ジャージャー」という鳴き声がヘビを示す単語ではない可能性も否定できないと、一つ目の実験結果・考察に対するさらなる検証実験の必要性を述べている。

よって、〈本論２〉の柱の文は、実験結果の考察を述べた9段落③文と、さらなる検証実験の必要性を述べた10段落①文となる。

〈本論２〉の要約
「ジャージャー」という鳴き声を聞いたシジュウカラが、地面や巣箱を確認しに行くしぐさをしたが、これだけではヘビを表す「単語」であるとは主張できない。（73字）

【本論３】（11〜14段落）柱は、14

10段落の、他の可能性があるとの指摘を踏まえて、11段落では「ジャージャー」という鳴き声を聞いたシジュウカラがヘビの姿をイメージしていることを検証するために、ヘビに似た動きをする小枝をヘビと見間違えるかどうかを調べるという、二つ目の実験方法を述べている。

12段落で実験の手順を示して、実験を行っている。13段落では、「ジャージャー」という鳴き声を聞かせたシジュウカラがヘビのように動く小枝に近づき、確認することがわかったと実験結果を述べている。14段落でシジュウカラは「ジャージャー」という鳴き声から幹をはうヘビの姿をイメージし、それに似た動きをする小枝をヘビと見間違えたと考察している。

〈本論３〉の柱の文は、実験結果の考察を述べた14段落①文となる。

〈本論３〉の要約
シジュウカラは、「ジャージャー」という鳴き声からヘビの姿をイメージし、ヘビに似た動きをする小枝をヘビと見間違えたと解釈できる。（63字）

【結び】（15〜17段落）

15段落①文は、〈本論〉の二つの実験結果からわかったことをまとめている。また、②文では、「ジャージャー」という鳴き声は「ヘビ」を意味する「単語」であると結論づけられると、5段落①文の問題提示に対応する結論を述べている。

16段落では、15段落の結論の補足として、シジュウカラは卵やひなを守るために、ヘビの存在を示す「単語」を進化の過程で獲得したと述べている。

17段落では、十五年以上にわたる野外研究の中で、シジュウカラが異なる「単語」を使い分け、それらを組み合わせてより複雑なメッセージを伝える、「言葉」をもつ能力があることが実証されたと述べている。そして、今後、動物の鳴き声の研究が盛んになることで、「言葉」をもつ動物の存在が明らかになるかもしれないと、一般化している。

〈結び〉の要約をするには、問題提示に対応する結論を述べた15段落と、その結論の補足を述べた16段落をまとめるだけでよいと考えられる。しかし、題名との関係を考えると、十五年以上にわたる野外研究の中で、シジュウカラが異なる「単語」を使い分け、それらを組み合わせてより複雑なメッセージを伝える、「言葉」をもつ能力があることが実証されたと述べている17段落を外すわけにはいかない。また17段落は、他の「言葉」をもつ動物の存在の可能性に言及し、一般化もしている。

〈結び〉の要約（全体の要旨）

「ジャージャー」という鳴き声を聞いたシジュウカラがヘビの姿をイメージし、ヘビを探す際に役立つ特別な行動を取るという二つの実験結果から、「ジャージャー」という鳴き声は「ヘビ」を意味する「単語」であると結論づけられた。そして、ヘビの存在を示す特別な鳴き声を進化の過程で獲得したと考えられる。十五年以上にわたる研究の中で、人間以外で初めて、シジュウカラに「言葉」をもつ能力が実証された。今後、動物の鳴き声に関する研究が盛んになることで、「言葉」をもつ動物の存在が明らかになるかもし

れない。（241字）

(4) 吟味よみ

・一つ目の実験では、「疑問・実験の方法―実験―実験結果―考察」の順に、段落ごとに分けて書かれていて、わかりやすい。また、実験結果や考察に対して、「ジャージャー」という鳴き声がヘビを示す「単語」でない、他の可能性を考えるなど、きちんと論証しようとする、科学的な追究姿勢を示している。

・8段落の実験でも、「ジャージャー」という鳴き声を聞かせた結果ばかりでなく、「ピーツピ」を聞かせた結果、鳴き声を流さない場合の結果をそれぞれ示すなど、読者を納得させるべく、誠実で、科学的な追究姿勢を示している。

・筆者が、「単語」を「異なる意味を伝える一つ一つの鳴き声」、「言葉」を「異なる『単語』を使い分けるだけでなく、それらを組み合わせてより複雑なメッセージを伝えていること」「複数の『単語』を組み合わせる能力」と厳密に定義し、それぞれ区別して述べていることはとてもよい。しかし、この文章では、シジュウカラが「単語」をもつことについて、「ジャージャー」という鳴き声が「ヘビ」を表す「単語」であることを、一つの具体例として論証しているだけである。「言葉」をもつことについては、その具体例が示されていない。17段落で「人間以外に、複数の『単語』を組み合わせる能力が実証されたのは、シジュウカラが初めてです」と述べるためには、複数の「単語」を組み合わせてメッセージを伝える具体例をきちんと示して実証しなければならないのに、それをしていない。「研究により判明した、シジュウカラの鳴き声と意味（一部）」の表が掲載されているが、これも「異なる意味を伝える一つ一つの鳴き声」＝「単語」の例として取り上げたものと考えられ、「複数の『単語』を組み合わせる能力」＝「言葉」をもつ例とは言いがたい。

・この文章は、シジュウカラの「ジャージャー」という鳴き声が「ヘビ」を表す「単語」であることを論証しているだけなので、「『言葉』をもつ鳥、シジュウカラ」と題名をつけることにやや違和感がある。題名は、「『言葉』をもつ鳥、シジュウカラ」がいいか、「『単語』をもつ鳥、シジュウカラ」がいいか、考えさせてみる。

(5) 対話的な授業づくりのための発問例

●構成をよむ――〈序論〉の決定

> **発問1**　この文章は、何について述べようとした文章なのか？
> **発問2**　3段落は、何について述べているのか？　また、なぜこの位置にあるのか？

〈序論〉がどこまでかを決定することは、問題提示（話題提示）を明らかにすることと一体のものである。問題提示は、この文章で何について説明するのか、どのような主張をするのかという筆者の問題意識をはじめに示したものなので、5段落①文の仮説が文章全体に関わる問題提示となり、5段落までが〈序論〉となる。2段落④文の、シジュウカラのさまざまな鳴き声にはそれぞれ意味があり、それら全体で「言葉」になっているというところを話題提示とする考え方もある。しかし、この文章では、「ジャージャー」という鳴き声が「ヘビ」を意味する「単語」であることを論証しているだけであり、さまざまな鳴き声の意味することも、それら全体で「言葉」になっていることも論証されていないので、その考え方は当たらない。

3段落が研究の具体的説明になっているとして、ここから〈本論〉になるという考え方もある。しかし、3段落はシジュウカラの繁殖期の子育てについて述べており、その繁殖期の子育ての最中に、巣箱のひなをヘビに襲われたシジュウカラの親鳥の鳴き声を聞いたことが研究の転機となって、5段落の仮説につながっている。よって、3段落を〈本論〉ということはできない。

3段落で述べられている繁殖期の子育ての説明は、シジュウカラという鳥の説明になっているので、1段落の後に置いた方がよいという考え方もある。しかしこれも、繁殖期の子育ての最中に、巣箱のひなをヘビに襲われた親鳥が発するの鳴き声が、5段落の仮説につながっているので、4段落の前がよい。

●構成の中での6段落の位置づけを検討する

発問1　6段落だけで〈本論1〉か、それとも、6段落〜10段落で〈本論1〉か？

6段落①文の、「ジャージャー」という鳴き声がヘビを示す「単語」であるかを調べるにはどうしたらよいのかという疑問に答えているところは、6段落⑤文の鳴き声を聞いたシジュウカラがヘビを警戒するようなしぐさを示すかどうかを調べることと、11段落①文のシジュウカラがヘビの姿をイメージしているのか検証することの二カ所である。つまり、6段落は二つの実験の両方の前提となっていることがわかる。そのため、6段落だけで〈本論1〉とする。

●構成の中での10段落の位置づけを検討する

発問1　10段落は〈本論2〉に含まれるのか、〈本論3〉に含まれるのか？

一つ目の実験結果・考察では、「ジャージャー」という鳴き声が、親鳥がヘビを確認しに行くことに大いに役立つと述べている。しかし、10段落では、それがヘビを示す「単語」ではなく、ヘビの姿をイメージすることなく親鳥が行動をとった可能性も考えられると、一つ目の実験の論証の不十分さを述べている。よって、10段落は一つ目の実験の考察であるといえる。また10段落は、論証に対する筆者の科学的で、誠実な態度を示してもいる。11段落からは、その考察を踏まえ、論証の不十分さを解消するための、新たな、二つ目の実験である。

2 『「不便」の価値を見つめ直す』 川上 浩司

（光村図書 1年）

(1) 教材の説明と文種

一般的に「便利はよいこと」で「不便は悪いこと」とされている。それに対し、筆者は「不便益」という、不便だからこそ得られるよさに着目し、その具体例をあげて「不便」の価値を論証する。そして、固定観念にとらわれて無批判に便利ばかりを選ぶ生活を見つめ直すよう呼びかける。十六段落からなる展開型（結論提示タイプ）の論説文。

(2) 構成よみ

1段落に問いの一文が示されているが、問題提示としての具体性はない。5段落が、明確な問いの文ではないが、文章全体の方向性を示す問題提示となっている。

14段落が問題提示に対応しており、仮説の論証を経た結論として「不便」だからこそ得られるよさをまとめている。15段落は14段落を受けて、「不便」だから得られるよさを新しいデザインに生かす動きが始まっていると述べ、16段落では、その発想を日常生活にも生かし、活用することを提起している。

序論	本論			結び
1～5	6 ～ 13			14～16
	本論1 6～7	本論2 8～11	本論3 12～13	
問題提示	「不便」の定義と視点	「不便益」の具体例	「不便益」のもつ意義	筆者の主張の再提示と読者への呼びかけ

構成表

〈本論〉は、[6]～[7]段落で「不便」の定義を示しながら、新しく領域をとらえ直すことによって生まれる視点を示し、[8]～[11]段落でそれを具体例をあげて論証する。そして、[12]～[13]段落で論証によってわかったことを整理し、まとめている。

(3) 論理よみ

【序論】（[1]～[5]段落）

[5]段落で「『不便』の価値」に着目し、「不便だからこそ得られるよさ」を追求していると述べているところに問題提示がある。問いの形にはなっていないが、筆者の問題意識は、便利さの追求だけでは得られない、不便だからこそ得られるよさがあるのではないかということである。なぜそういう問題を立てたかの理由が[2]～[4]段落に述べられている。自らの専門である機械の設計や工業デザインの分野において、便利さばかりを追求し続けてきたが、それが本当に人の生活を豊かにするのだろうか、ということである。[1]段落に、「『不便でよかった。』と感じたことはないだろうか。」と、問いの一文が示されているが、これは読者への興味喚起にすぎず、問題提示としての具体性はない。

【本論1】（[6]～[7]段落）柱は、[7]

「不便益」について分析や議論する上で、「不便」についての共通理解が必要となるため、[6]段落は「不便」という言葉の定義を示している。それを受けて、[7]段落では「便利＝よい」と「不便＝悪い」という二側面からしかとらえてこなかった視点を変え、「不便のよい面」、「便利の悪い面」という二側面を組み合わせた、新たな四領域にとらえ直すことで、新たな価値観による見方を示している。[6]・[7]段落の関係は、「不便のよい面」（＝「不便益」）を明らかにしようとしているところから、[7]段落が柱の段落で、③・④文が柱の文である。

〈本論1〉の要約
「不便」とは、何かをするときにかかる労力が多いことと定義する。すると、「便利」の中にもよい面と悪い面があり、「不便」に中にもよい面と悪い面があることから、「不便のよい面」と「便利の悪い面」という新しい視点が生まれる。（108字）

【本論2】（8〜11段落）柱は、9・10・11

8段落では「不便のよい面」についてたくさんの人に聞いて事例を集めたことを述べている。9〜11段落はその具体例で、9段落で移動方法についての事例を、10段落で施設のデザインの事例を、11段落で工場での生産方式の事例を述べている。9・10・11段落相互の関係は並列型である。並べられている順序が移動方法、施設のデザイン、工場での生産方式となっているのは、読者にとって身近でイメージしやすいものから述べようとする意図や工夫が見える。それぞれの事例で「不便のよい面」（＝「不便益」）の具体例を示すことは、「便利の悪い面」を述べることと表裏一体となっている。〈本論2〉では筆者の考察や意見をまとめた段落はないが、9・10・11段落の事例そのものが、〈序論〉で提示した、「不便だからこそ得られるよさ」があるのではないかという仮説を論証したものになっている。9・10・11段落のそれぞれの段落ごとに、「便利のよい面」と「不便のよい面」を対比させるながら要約することができる。

〈本論2〉の要約
「不便益」の具体例として三つ述べている。移動方法では、「不便」な徒歩によって出会いや発見の機会が広がるよさがある。施設のデザインでは、バリアがあることで身体能力の低下を防ぐよさがある。工場での生産方式では、セル生産方式のほうが作業者のモチベーションと技術力を高めることにつながる。（140字）

【本論3】（12～13段落）柱は、13

12段落では、「整理の途中の段階」としながらも、事例を通して「不便益」とは何かが浮かび上がってくると述べ、それを13段落でまとめている。そのまとめの内容は9・10・11段落に述べたことと重なるが、単に「不便益」とは何かを整理しているのではなく、物事を達成するのにより労力をかけることになるが、だからこそ得られるよさがあることを強調している。つまり、「不便益」のもつ普遍的な意義を述べている。柱の段落は13段落で、柱の文は①・②・⑤文である。

〈本論3〉の要約
「不便益」とは、物事を達成するのにかかる時間や道のりが多くなる分、発見や出会いの機会を増やし、体力や知力、技術力の維持や向上を促すものである。また、自分で考えたり工夫したりする余地がある分、取り組むときのモチベーションを高め、成し遂げたときの達成感を大きくするものである。（136字）

【結び】（14～16段落）

14段落の①文「これらの『不便益』は、『不便』だからこそ得られるものだ。」は5段落の「不便だからこそ得られるよさを～研究している」に対応している。そして②文で「『便利はよいこと』で『不便は悪いこと』という固定観念にとらわれ、ただ無批判に『便利』なほうばかりを選んでいては、『不便』の価値を見落としてしまう」と意見を述べている。「これら」は本論の9・10・11段落に書かれた「不便益」の例を指している。その部分を含め、不便には不便だからこそ得られるよさがあるということが筆者の結論である。15段落の最初に「誤解してほしくないのは」とあるのは、14段落を受けて、その結論を補強する意図の現れである。そして、「不便」だからこそ得られるよさを応用した新たな研究や提案が始まっていると述べている。16段落では、「不便益」の発想を一般化し、日常生活を見つめ直そうと述べている。〈結び〉のまとめは14・15段落に書かれているが、それだけで全体の要旨とするには不十分である。その論拠となる、[9]・[10]・[11]段落に書かれた「不便益」のよさに触れてまとめることで、全体の要旨となる。

（全体の要旨）
「不便」は悪いことばかりではなく、労力をかけることによって発見や出会いの機会を増やしたり、人間の体力や知力、意欲を向上させたりする。「便利はよいこと」で「不便は悪いこと」という固定観念にとらわれては、「不便」の価値を見落としてしまう。「不便」だからこそ得られるよさがあることを認識し、新しいデザインの創出に生かしていきたい。（162字）

(4) 吟味よみ

・筆者は機械の設計や工業デザインを専門としており、従来から便利さを追求するために自動化や効率化、高機能化を重視し、デザインの指針としてきた。しかし、あるときその方向性に対して「本当に人の生活を豊かにするデザインなのだろうか」という疑問を抱き、単純に便利さだけを追求する姿勢を転換しようと考えたところは、既成概念を根本から問い直そうとしていて興味深い。また、新たな発想からデザインする指針として「不便益」の概念を提示することで、不便さにも価値があることを教えてくれる。今まで否定的にしかとらえられなかったことを、肯定的にとらえられるようになることで、ものの見方を広げようとしている。さらに、手間をかけたり頭を使ったりして、面倒や億劫に思うことに実は意味があることを示唆している。それが読者の興味をより引きつけることにもつながっている。

・「不便益」のよさを論証するために三つの具体例があげられているが、それらによる論証は妥当かどうか。[9]段落では移動方法について「タクシーと徒歩」で比較して、徒歩は時間がかかったり疲れたりするが、「途中の道のりがあるからこそ、出会いや発見の機会が広がる」と不便益のよさを述べている。「乗り物は楽」という見方しかできなければ、移動する過程にあるたくさんの素晴らしさに気づけないことを教えてくれる。その一方で、道のりの基準については言及されていない。徒歩で移動できる距離には限界がある。距離が長かったり、足が不自由だったりした場合、乗り物を使わざるを得ない。どこを基準に考えるのかは曖昧にされている。⑩段落では、施設デザインについて、「バリアフリー」が望ましい環境である介護施設などにおいて、あえてバリアを設けることで入居者の「身体能力の低下を防ぐ」と、不便益のよさを述べている。入居者が自立した生活を送れるためには、機能の維持・回復という観点は必要不可欠といえる。それをサポートするという発想は素晴らしい。しかし、入居者の身体能力は個々によって異なり、介護度にも差がある。また、通常生活時と機能訓練時とでは目的も異なる。それらを一緒に論じるのにはやや無理がある。⑪段落では、セル生産方式によって「一人あるいは少人数で」一つの製品を丸ごと組み立てることで、「作業者のモチベーションを高めるとともに、技術力を高めることにもつながる」と述べている。単純作業の繰り返しは精神的につらいものがあるから、複雑でもセル方式のほうが、完成まで自分が関わったという充実感が高いだろう。しかし、ライン生産方式は、自分の分担の作業だけを繰り返す分業型である。作業が単純化される方が効率的で生産性が上がるとは考えられないだろうか。生産性の向上によって、得られる対価が増えれば、ライン生産方式のほうが作業者のモチベーションを高めるということもありうる。また、分業によって決まった作業を繰り返す方が、熟練して技術力を高められるとも考えられる。ここで論証されている「不便益」は、見方によって評価も変わる。

・「不便益」のよさを論証する三つの具体例に納得するかどうかを、「ここは納得がいく」「ここは納得がいかない」など、立場と根拠を明確にして議論させる。そこで議論したことをもとに、意見文を書かせる。

(5) 対話的な授業づくりのための発問例

●この文章を序論・本論・結びに分けてみよう。さらに本論を内容ごとにいくつかに分けてみよう

発問1　問題提示はどこ？
発問2　それはどこでどう追究され、まとめられている？

文章の構成をとらえようとする発問例。〈序論〉についてはどんな問題提示がされているのかをとらえるのが鍵となる。候補としては1段落「『不便でよかった。』と感じたことはないだろうか。」が問いの形をしており、目が行きがちである。だが、問いが筆者の追究したい課題とは直接結びつかず、読者に向けての興味喚起であることや、2段落に「たいていの場合、けげんな顔をされる。」と、答えが示されて後に続かないことからも問題提示とは言えない。では、どの文が問題を投げかけているのかを考えさせることで議論が生まれる。特に「便利を追求することが人の生活を豊かにするのか」という筆者の疑問が出発点となって、問題を立てていることに着目させたい。その上で、「不便」の価値に着目し、追究しようとしていることが提示されていることに気づかせたい。それを、具体例をあげて論証しているところが〈本論〉で、「不便だからこそ得られるよさ」をまとめているところを〈結び〉とすることで文章全体の構成が見えてくる。

●三つの具体例の述べ方にどんな工夫があるだろう？

発問1　具体例の順序を入れ替えることは可能だろうか？
発問2　なぜこの順番なんだろう？

9・10・11段落に示された三つの具体例は、段落の順番を入れ替えても論理に支障をきたさない並列型で書かれている。それが並列型とわかるだけでなく、そこから筆者の述べ方の工夫について考えさせる発問例である。ここにあげられている例は移動方法、施設のデザイン、工場での生産方式であるが、その順番にはどうい

う意図があるのか。専門用語がいくつか並ぶが、事例が具体的であるので、イメージはしやすい。その上でどうしてこの順番で例が示されているのかを考えさせたい。読者にとって身近に体験していることから例示し、そこから専門性や創造性を加味することで、「不便益」の共通性について理解しやすくなるよう工夫がされている。

●「不便益」を説明する具体例のうち、移動方法についての論証は納得のいく説明になっているだろうか？

> **発問1**　納得できるところはどこだろう？　納得できないところはどこだろう？　自分の考えについての立場と根拠を明確にして話し合ってみよう。
>
> **発問2**　「納得できる」「納得できない」について、自分の考えについての立場と根拠を明確にして、さらには経験を交えて二〇〇字程度の意見文を書こう。

筆者のあげる「不便益」の具体例について、「納得できる」「納得できない」の立場と根拠を明確にしながら意見をまとめ、話し合うための発問例である。ここでは、より身近な具体例としてイメージしやすい、移動方法について取り上げてみる。話し合わせたあとに、自分の経験と重ね合わせながら、二〇〇字程度の意見文を書かせるとよい。

3 『オオカミを見る目』 高槻 成紀

（東京書籍 1年）

(1) 教材の説明と文種

日本とヨーロッパで、オオカミについての見方が違うのはなぜか。また日本では、昔と今でオオカミのイメージが変わってしまったのはなぜか。これら二つの疑問に答えていく中でオオカミの絶滅やシカの激増について筆者独自の考えを示している。十七段落からなる展開型（帰結タイプ）の論説文。ただし、[5]段落と[11]段落で問いを述べており、小問タイプ的ともいえる。

(2) 構成よみ

[1]〜[3]段落で、昔のヨーロッパではオオカミは悪を象徴する生き物とされたという見方と、日本では神のように敬われていたという対照的な二つの見方を示し、それらについて[4]段落で二つの問題提示をしている。よってここまでが〈序論〉となる。

[16]段落で、〈本論〉で述べてきた日本とヨーロッパのオオカミの見方の違いと、日本におけるオオカミのイメージの変化について、②〜④文でまとめている。[16]段落は〈本論〉のまとめになっており、[17]段落は[16]段落の内容を「このように」で受けまとめている。したがって[16]〜[17]段落が〈結び〉となる。

序論	本論		結び
[4]〜[1]	[15] 〜 [5]		[17]〜[16]
	本論1 [10]〜[5]	本論2 [15]〜[11]	
問題提示	ヨーロッパの見方と日本の見方はどう違うのか	日本ではなぜ見方が変化したのか	まとめと補足

構成表

授業では、〈結び〉を[17]段落だけとする意見が出てくる。[17]段落はオオカミのことには触れず人間の行いやそれに伴う社会の変化について述べており、いかにもこの文章における筆者の考えをまとめているように見える。しかし、筆者の関心はあくまでオオカミにある。オオカミの絶滅と、それに伴うシカの激増という内容は筆者独自の考えであり、その考えを含んで17段落の二行は書かれていると見るべきである。よってこの文章は、単にオオカミについて二つの問題提示に答えていく説明文ではなく、論説文といえる。

5段落が、4段落の一つ目の問題提示の繰り返しとなっており、6～7段落でヨーロッパの見方をまとめ、8～9段落で日本の見方をまとめている。10段落は、明治時代にオオカミが絶滅したことが語られ、その原因に日本人のオオカミに対する見方の変化が関わっていると述べて、11段落の「では、次に、なぜ……」という二つ目の疑問へとつなげている。このように見ると、10段落からが〈本論2〉のようにも読めるが、11段落で5段落と同じように4段落の問題提示を繰り返している。よってこのような述べ方の形式を重視して10段落までを〈本論1〉とする。この10段落のオオカミの絶滅のことは、あとの14～15段落の内容と関わってくる。三つの段落がオオカミの絶滅に関わる叙述であることに気がつくことは構成を読む上で大切な読みである。だがそのことだけでなく、この10段落が問題提示からは少し外れた内容であるということも重要な読みのポイントである。

11段落では、4段落の二つ目の問題提示を繰り返し12～13段落で説明している。12段落で狂犬病の流行、13段落でヨーロッパの童話の流入、という二つをあげて説明している。14段落で「オオカミに対する見方のこうした変化を背景に」と、ここからまたオオカミの絶滅について触れる。さらに15段落では、その絶滅に関連して、シカの激増という新たな問題を提示する。ここまでが〈本論2〉となる。

(3)　論理よみ

【序論】（1～4段落）

1段落は、オオカミのイメージについて読者に語りかけ、オオカミについて馴染みのあるいくつかの西洋の童話を具体的な作品名を出して紹介するなど、読者に関心を持たせるための話題を提示している。話題提示を受けて2段落でヨーロッパ的なオオカミの見方を紹介し、3段落で日本におけるオオカミの見方を確認する。この2段落と3段落が「ところが」という接続語を挟んで対比的に説明される。4段落で「ここで二つの疑問が生じます」といって、問題提示をしている。1段落で話題を提示し、1段落を受けて2～3段落が対比的に説明され、1～3段落を受けて4段落の問題提示につなげていくという展開である。

〈序論〉の要約
オオカミについてヨーロッパと日本で見方が違うのはなぜか。また、昔と今とで、日本のオオカミに対する見方が変ったのはなぜか。（60字）

【本論1】（5～10段落）　柱は、7・9＋10

5段落で一つ目の問題提示を繰り返し、6段落から、ヨーロッパにおけるオオカミの見方について、農業と、キリスト教という宗教上の観点から、オオカミがなぜ恐れられ、恐ろしい魔物に仕立てられていったかが説明される。7段落で「このように」と6段落の内容を受けまとめている。8段落①文で「一方、日本はどうでしょう」と今度は、日本のオオカミの見方について説明していくことを予告する。そして日本でも稲作という観点から、なぜ敬われ神のようになっていったかが説明される。続く9段落で「つまり」といって、8段落の内容を一文でまとめている。ここまで、ヨーロッパの見方と日本の見方を、農業という共通の観点から対比的にわかりやすく述べている。

続く[10]段落では、[8]～[9]段落でまとめた日本におけるオオカミの見方について、現代ではその見方が変化している事実を指摘する。そしてオオカミが迫害によって絶滅したと筆者の考えを述べる。このオオカミの絶滅については、問題提示からはズレた内容となる。しかし、筆者にはどうしても述べておく必要があった問題だと考える。オオカミの絶滅については、この後の[14]～[15]段落でも触れており、筆者の問題意識の表れである。この〈本論1〉の内容は、[5]段落の問題提示に答えているだけではなく、日本の見方の変化がオオカミを絶滅にまで追い込んだのだという筆者の考えが述べられている段落でもある。要約にはオオカミの絶滅という内容も含める。

またこの後、筆者はオオカミの絶滅に再び触れ、それに関連したシカの激増という問題を明らかにする。つまり筆者はオオカミの絶滅を現代の問題としてとらえている。絶滅だけを語るなら過去に起きたことの説明となる。過去がどう現代に影響しているのかを語ることで、それは現代の問題となる。

〈本論1〉の要約
ヨーロッパは牧畜や宗教の影響でオオカミを悪魔のように見なし、日本では、害獣を食べる神として敬われた。しかし、現代の日本では絶滅し、そこには日本人のオオカミに対する見方の変化が関わっている。
（94字）

【本論2】（[11]～[15]段落）柱は、[12]・[13]＋[14]・[15]

[11]段落で二つ目の問題提示を繰り返し、[12]～[13]段落で日本のオオカミの見方がどのように変化したのかについて、二つ述べている。[12]段落で狂犬病の流行を、[13]段落で西洋の知識や価値観を取り入れたことをそれぞれ述べ、オオカミが忌まわしい動物となり、イメージを悪化させていった経緯を説明している。[14]段落①文で「…こうした変化を背景に、」とあり、この後、日本のオオカミがどんなことが原因で絶滅したのかが詳しく説

明される。この説明も、二つの問題提示に対する答えとしては微妙にズレてしまっている。続く15段落も、オオカミの絶滅を受けて今度はシカの激増という課題を述べている。日本のオオカミの見方は昔と今でどう変わったかという答え以外の別の内容を述べている。しかし、このオオカミの絶滅によって自然のバランスが崩れシカの激増を招いたという現象を、筆者は「反省の声もある」と言い、現代の問題としてとらえていることがわかる。ここに筆者独自の考えが表れている。よって要約にも含める。

〈本論2〉の要約
江戸時代の中頃、狂犬病の流行によりオオカミは忌まわしい動物となり、明治時代には、オオカミを悪者にした童話が入ってきてそのイメージをますます悪くさせた。またこうした見方の変化を背景にオオカミはついに絶滅し、それが原因となり、今度はシカの激増を招いてしまった。（128字）

【結び】（16～17段落）

16段落は二つの問題提示の答えを繰り返しまとめている。17段落①文は「このように」で16段落を受けてまとめている。しかし筆者のいいたかったことは、オオカミの例を通して、人の考えや行いは変化するということではない。その変化が、オオカミの絶滅を招いてしまったという事実である。ここに筆者独自の考えがあり、筆者の問題意識はあくまでもオオカミであり、人の考えや行いの変化が主要な問題意識ではない。

〈結び〉の要約は、16～17段落だけをまとめるのは、この文章の問題提示の答えとしては不十分である。オオカミの絶滅には触れるべきで、〈結び〉の要約にはオオカミのことを含めて全体の要旨とする。

〈結び〉の要約（全体の要旨）
農業の在り方が異なるため、オオカミはヨーロッパでは悪魔のように見なされ、日本では神として敬われた。しかし、日本では後にそのイメージが悪化しオオカミは絶滅してしまった。人の考えや行いは社会の

状況によって異なり、変化したりする。（112字）

(4) 吟味よみ

二つの問題提示に対する説明が、5段落と11段落で丁寧に繰り返されているので読み手にわかりやすい構成といえる。問題提示を繰り返しているのはその工夫の一つである。動物の絶滅の原因として一般的に思い浮かぶ環境破壊や乱獲といったありきたりな原因ではなく、そこに社会の状況によって変化した人間のものの見方を、絶滅の要因とする筆者の考えはユニークである。15段落は、オオカミの絶滅が現代の課題にもつながっていることを示している。読み手に現代性のある課題として受け止めさせる述べ方の工夫が見える。

ただ、16段落は、オオカミという一例を唐突に野生動物にまで飛躍させている。野生動物というのであれば、オオカミ以外で、一つでも社会の影響によって見方が変化した生き物を具体的な例で示してもらえれば、さらに説得力が増すものとなったはずである。また、初めから悪いイメージだった西洋のオオカミは、絶滅しなかったのか。したのなら原因は日本と同じなのか違うのか、といった疑問を抱かせる。西洋オオカミの絶滅の有無について少し触れていればさらに面白く読めたかもしれない。

さらに10段落と14〜15段落は必要なのかという議論もある。ただ、必要かどうかを問うというより、まず、この三つの段落の異質性に気づかせ、問題提示から外れていることに気づかせる。その上で、必要かそうでないかの意見文を書かせればよい。

(5) 対話的な授業づくりのための発問例

●『オオカミを見る目』の構成を読む

発問1　問題提示はどこにあるだろう?
発問2　〈結び〉は、どこからだろう?

④段落に二つの問題提示が述べられていることを確認させ、それが⑤段落と⑪段落で繰り返されていることを読みとらせる。それぞれに答えが述べられており、答えも二つある。また、〈結び〉はどこになるかで話し合いをさせる。⑯段落が〈本論〉のまとめになっていること。さらに人の行いや考え方だけを問題にしているのではなく、それがオオカミの絶滅を招いた原因であるとする筆者の考えを踏まえれば、⑯段落からが〈結び〉ととらえるのが妥当である。

●二つの問題提示の答えを読みとる

発問1　問題提示の答えは、それぞれどの段落でまとめられているだろう?
発問2　述べ方の順番にはどんな工夫があるだろう?

⑤段落の問いが⑦段落で、⑪段落の問いが⑫~⑬段落で答えられているという段落関係をおさえる。問いと答えの対応関係が見えることで、⑩段落が外れることが見えてくる。構成上の述べ方を見た上で、このような小問タイプ的の文章は、叙述の順番を意識させるとよい。①ヨーロッパと日本の見方→②日本の昔と今の見方という順番を、②日本の昔と今の見方→①ヨーロッパと日本の見方という順番で説明するのは難しい。まず、ヨーロッパと日本の昔の見方の違いをそれぞれ述べ、次に、昔と今の日本の見方の変化を述べ、その変化が絶滅につながったという順序が、最もわかりやすい述べ方である。

●⑩段落の意味を考える

発問1　⑩段落は、ないほうがいいのか?

まず、⑩段落は、問題提示からズレていることに気づかせる。問いと答えの関係を考えることで、この⑩段落が見えてくる。筆者の関心が、オオカミの見方の変化そのものよりも、その変化が原因で起こったオオカミの絶滅の方にあることを読みとらせたい。また、⑮段落は、オオカミの絶滅が「シカの激増」という現代の課題につながっていて、現代性のある課題であることを伝える段落であることにも気づかせたい。10段落とともに、14～15段落は、今の問題を述べようとしている。

よって、現代性のある課題だということがわかるという意味ではあった方がよいが、問題提示との関係を考えた時には、それとはズレているので論理的には不要である。こうした二つの意見に分かれる要素を持つ段落については、なくてもよいかと問うて討論させる。〈本論〉で述べられる内容は過去のことであり、オオカミの見方の違いと変化を説き明かすだけでよいと考えることもできる。また、絶滅の事実を知ることで、それが現代の問題なのだということを知ることに意味があるというとらえ方もあり得る。生徒に、論説文と説明文の文種の違いを意識させ、要不要両方の意見を聞きながら、自分の意見を検討し、それを意見文にすれば、自分の意見を持つための有効な訓練となる。

4 『私のタンポポ研究』 保谷 彰彦

（東京書籍 1年）

(1) 教材の説明と文種

都市部に広がっていたセイヨウタンポポが少なくなり、雑種タンポポが多くなっている謎について、二つの実験をおこなっている。雑種タンポポの種子は夏の暑さを避けて発芽する性質があり、枯れずに生き残るわけを明らかにしている。二十八段落からなる展開型（帰結タイプ）の説明文。

(2) 構成よみ

[8]段落①文に問題提示がある。同じ段落の④文にもほぼ同様の問題提示がある。この二つの文は、この文章全体に関わる問題提示になっている。したがって[1]~[8]段落が〈序論〉である。

[25]~[26]段落で二つの実験の結果を述べている。つまり問題提示の答えが書かれている。[27]段落は、[25]~[26]段落の答えを結論としてまとめている。したがって[25]~[28]段落が〈結び〉となる。[28]段落は補足で、タンポポには、まだたくさんの謎が隠されていると次への謎解きを誘っている。

[8]段落の問題提示を受けて、[9]段落で、種子が発芽するタイ

序論	本論				結び
[8]~[1]	[24] ~ [9]				[28]~[25]
	本論1 [9]	本論2 [21]~[10]		本論3 [24]~[22]	
		[15]~[10]	[21]~[16]		
問題提示	二つの実験の説明	種子は、どの温度でどのくらい発芽するのか	高温で発芽しなかったタンポポの種子は生きているのか	セイヨウタンポポの芽生えは、高温で生き残れるか	結論・補足

構成表

ミングと芽生えの生き残りやすさの二つの実験をおこなったと述べている。10～24段落は、二つの実験の方法、結果、考察を述べている。したがって9～24段落が〈本論〉である。〈本論〉のうち、9段落は二つの実験について述べており〈本論1〉、10～21段落は、種子が発芽するタイミングの実験と結果について述べており〈本論2〉、22～24段落は、芽生えの生き残りやすさの実験と結果について述べており〈本論3〉となる。

なお〈本論2〉は、さらに二つに分けることも可能である。10～15段落は、種子がどのくらいの温度で発芽するかについて実験・考察しているが、16～18段落では、高温で発芽しなかったカントウタンポポや雑種タンポポは生きているのかという新たな実験と考察をおこなっている。その結果を受けて、19～20段落で、セイヨウタンポポと雑種タンポポの芽生えの生き残りやすさを再度考察している。21段落は、そうだとすれば、暑さの中で発芽するセイヨウタンポポは枯れやすく、涼しくなってから発芽する雑種タンポポは生き残りやすいのでないかと仮説を立て、22段落からの問題提示につなげている。このように〈本論2〉をさらに二つに分けることも考えられるが、ここでは、発芽と種子が生きているかは、連続した問題ととらえ、〈本論2〉とした。

(3) 論理よみ

【序論】(1～8段落)

柱は、問題提示を述べている8段落である。1段落は、身近に咲いているカントウタンポポについて述べる。2段落で、日本はタンポポの種類が多様な国であり、世界のタンポポ研究者から見れば、日本は憧れの国だと述べる。しかし3段落では一転し、外来タンポポの一つであるセイヨウタンポポが日本に持ち込まれ、在来タンポポが減ったと述べ、4～5段落で在来タンポポが減り、セイヨウタンポポが増えた原因を述べている。そして6段落では、雑種タンポポという新しいタンポポの存在を述べ、7段落で雑種タンポポの割合が際立って高くなったと述べている。このように、3～7段落で三種類のタンポポの増減の経過を順を追って述べ、それらを受けて8段落で「それはなぜか」と問う論理関係になっている。

【本論1】（9段落）

①文で、種子が発芽するタイミングと芽生えの生き残りやすさの二つの実験を行ったと述べている。②・③文は、なぜ二つの実験を行うことの理由を述べている。柱は①文である。

〈本論1〉の要約
雑種タンポポが増えた謎を解くために、種子が発芽するタイミングと芽生えの生き残りやすさに注目し、二つの実験を行った。（57字）

【本論2】（10〜21段落）柱は、21

〈本論2〉は、大きく二つに分けることができる。一つは、種子がどのくらいの温度で発芽するかについて実験・考察している10〜15段落である。もう一つは、高温で発芽しなかったカントウタンポポや雑種タンポポの種子は生きているのかについて実験・考察している16〜21段落である。11〜14段落の実験を受けて、15段落で雑種タンポポは高い温度では発芽しない性質があることを述べる。さらに16〜20段落の実験を受けて、21段落で暑さの中で発芽するセイヨウタンポポは枯れやすく、涼しくなってから発芽する雑種タンポポは生き残りやすいと考察している。つまり10〜15段落は、一つ目の実験・考察を述べ、それを受けて16〜21段落で新たな問題について再度実験・考察し、まとめるという関係になっている。柱は、種子が発芽するタイミングの実験の答えとして仮説を立てている21段落①文である。

〈本論2〉の要約
暑さの中で発芽するセイヨウタンポポは枯れやすく、涼しくなってから発芽する雑種タンポポは生き残りやすいのではないか。（57字）

【本論3】（22～24段落）柱は、24

柱は、実験の結果を述べている24段落②・③・④文である。22段落で、二つ目の実験である芽生えの生き残りやすさについて調べると述べ、特にセイヨウタンポポの芽生えは高温で生き残れるかと、注目する点を示している。23段落で実験の方法を述べ、24段落で実験の結果をまとめている。つまり22～23段落を受けて、24段落でまとめるという関係になっている。

〈本論3〉の要約
六度から二十四度までは、どの種類のタンポポも大部分が生き残っていたが、三十一度以上では、タンポポによって生き残る割合が異なっており、雑種タンポポのほうがセイヨウタンポポよりも生き残る割合が高くなった。（100字）

【結び】（25～28段落）

25段落で二つの実験結果を考察すると述べ、26段落で実験結果を述べている。そして26段落の実験結果を受けて、27段落で、日本の都市部では、セイヨウタンポポよりも雑種タンポポのほうが生き残りやすいと結論を述べている。28段落は、タンポポにはまだまだたくさんの謎があり、まだ誰も解いたことのないたくさんの謎が隠されていると補足を述べている。

なお〈結び〉の要約は、〈序論〉の問題提示の答えになっており、全体の要旨にもなっている。〈結び〉の要約（全体の要旨）は、二つの問題提示の答えを述べている26段落と、全体の結論を述べている27段落をまとめるとよい。28段落は、補足であるため、全体の要旨には入れない。

〈結び〉の要約（全体の要旨）
雑種タンポポの種子は、夏の暑さを避けて発芽する性質があり、枯れずに成長するチャンスが高まることがわかった。また高温にさらされながらも生き残る可能性があることもわかった。したがって日本の都市部では、セイヨウタンポポより雑種タンポポの方が生き残りやすいことが明らかになった。（135字）

(4) 吟味よみ

身近なタンポポの実験を通して、物事が明らかになるということをわかりやすく述べている。そして実験・観察を通して、科学的なものの見方・考え方を育てることにもつながっている。また、外来種が在来種を駆逐しているのではないかと思わせて、それを否定する。また多様なタンポポがそこかしこに生えている日本が、世界のタンポポ研究者から見れば憧れの国であることも、当たり前だと思っていることが実はそうではないということが、驚きであり読者の興味を引く。

文章全体の問題提示と答えがはっきりしており、わかりやすい三部構成になっている。また〈本論〉の二つの実験と結果に基づいて、結論を導き出している点もわかりやすくなっている。この文章は、複数の実験をおこないながら、最後に結論を引き出す帰結タイプの論説文であるが、随所に問いを入れて、内容をとらえやすくしている。

〈序論〉が8段落までである。まず1～2段落で在来のタンポポが多様なことを述べ、3段落でセイヨウタンポポが持ち込まれ、在来タンポポを駆逐したのではないかと述べる。さらに6段落では新種の雑種タンポポが登場する。この意外な展開が次の問題提示を引き出しており、読者の興味を引く述べ方になっている。

〈本論2〉が十二の段落を使い丁寧に検証しているのに対して、〈本論3〉は三つの段落だけで検証が終わっている。〈本論2〉では、実験の結果について、カントウタンポポ、セイヨウタンポポ、雑種タンポポでそれぞれ一つの段落を使って丁寧に検証しているが、〈本論3〉では、三つのタンポポの違いは、一つの段落に簡単にまとめて検証されているに過ぎず、丁寧さに欠ける。

〈本論2〉では折れ線グラフを使って結果を述べ、〈本論3〉では棒グラフを使って結果を述べている。変化を見る場合、普通は折れ線グラフの方が見やすいが、〈本論2〉の実験の場合、実験する温度を、四度、七度、十度……と三度ずつ高くしている。一方〈本論3〉では、五段階の温度設定になっている。つまり設定された温度以外では実験をおこなっていない。したがって実験結果のグラフは二つとも棒グラフの方がよいのではないだろうか。

この文章は、種子の発芽と芽生えについての二つの実験を通して、なぜ都市部に雑種タンポポが多いのかという謎を解き明かし結論を導き出しているが、この二つの実験のみで結論づけていいのだろうか。その他の実験をおこなう必要はないのだろうか。植物の発芽の条件は一般的に、空気・水・温度が関係するといわれるが、この文章では、温度のみを取り上げて実験しているにすぎない。他の条件である空気や水についての実験をおこなわないで、温度のみの実験で都市部に雑種タンポポが多い原因を結論づけてもいいのだろうかという疑問が湧く。

最後の段落に、タンポポにはまだまだたくさんの謎が隠されていると述べているが、具体的な謎は述べていない。たくさんの謎の一つでも述べていると、生徒はさらに興味を持って学習に取り組むのではないだろうか。

(5) 対話的な授業づくりのための発問例

●文章の構成を読みとる

発問1 問題提示は、何段落にどのように書かれている?
発問2 問題提示の答えは、何段落にどのように書かれている?

説明文・論説文は、問題提示（話題提示）があり、その問題提示について説明・論証し、答えを述べる文章のことである。そのために、文章全体を「序論―本論―結び」の三部構成に分けることは大切である。しかし三つに分けることにとどまるのではなく、問題提示とその答えがどこにどのように述べているのかを読みとることが重要である。この文章の場合、8段落に問題提示を述べ、25段落から問題提示の答えと結論を述べている。

●〈本論3〉（22～24段落）の段落関係を読みとる

発問1　〈本論3〉の柱の段落は、何段落か？
発問2　柱の段落と、柱の段落以外の関係はどうなっている？

段落と段落、文と文の関係を読みとることは、論理的思考力を育てることになる。典型的な論理関係の型を学ばせながら、段落相互の論理関係を読みとらせたい。また柱の文をもとに、要約文をまとめる指導もおこないたい。〈本論3〉の柱の段落は24段落である。22段落で実験内容を述べ、23段落で実験の方法を述べ、24段落で実験の結果をまとめている。つまり22～23段落を受けて24段落でまとめるという論理関係になっている。

●文章の書かれ方の工夫を読みとる（吟味よみ）

発問1　わかりやすくするために、工夫されているところはどこ？
発問2　書かれている内容だけではなく、書かれ方にも注目してよいところを見つけよう。

この文章の魅力は次の三つである。

① 同じタンポポに見えても、在来タンポポだけでも二十種類もあり、世界のタンポポ研究者から見ると憧れの国である。
② 外来種が、在来種を駆逐し、生態系を乱すのではないかと想像するが、実はそうではないと述べており、ステレオタイプ的な思考がくずされ、真実を知りたいという読者を引きつける述べ方になっている。
③ 謎（疑問）を解くために仮説を立て、次に実験をおこない、結果を検証し、最後に結論を導くという思考

過程が面白い等の工夫を読みとらせたい。

●〈本論2〉と〈本論3〉の述べ方の違いを読みとる（吟味よみ）

発問1　〈本論2〉〈本論3〉は、それぞれ何段落ある？

発問2　なぜ、こんなに違いがあるのだろう？

発問3　肯定的に読むとどうなる？　否定的に読むとどうなる？

〈本論2〉が十二の段落を使い詳しく検証しているのに対して、〈本論3〉は三つの段落だけの検証で終わっている。肯定的に読むと、カントウタンポポ、セイヨウタンポポ、雑種タンポポの種子の発芽のタイミングについて別々の段落を使い、温度ごとの発芽率を詳しく検証している。しかし否定的に読むと、〈本論3〉は、三種類のタンポポの芽生えの生き残りやすさについて、三つの段落だけでひとまとめにして検証しているにすぎない。〈本論3〉も〈本論2〉と同様に、もう少し詳しく検証した方がよいのではないだろうか。

5 『クマゼミ増加の原因を探る』 沼田　英治

（光村図書　2年）

(1) 教材の説明と文種

大阪市内でクマゼミの占める割合が増加したことは、ヒートアイランド現象による環境変化に要因があるのではないかという筆者の考えを、三つの仮説を検証する観察・実験を通して論証している。二十一段落からなる展開型（帰結タイプ）の論説文。

(2) 構成よみ

この文章では、小見出しをもとに〈序論〉〈本論〉〈結び〉を考えていく。なぜなら、「研究のきっかけ」と小見出しにある4段落①文「大阪市内では、なぜクマゼミの占める割合が、これほど高くなったのだろうか。」が、文章全体に関わる問いで、問題提示となっているため、〈序論〉であるといえるからである。

また、「まとめ」と小見出しがある20段落①文「大阪市内でクマゼミの占める割合が高まった背景には、都市部におけるヒートアイランド現象の影響があることが明らかになった。」が、4段落の問題提示に対応した結論であり、②・③文が〈本論〉のまとめとなっているので、「まとめ」が〈結び〉といえる。

序論	本論				結び
4～1	19　～　5				21～20
	本論1 6～5	本論2 11～7	本論3 16～12	本論4 19～17	
研究のきっかけ（問題提示）	［前提］クマゼミの一生と、環境の影響を受ける時期	［仮説1］冬の寒さの緩和	［仮説2］気温の上昇による孵化の時期の変化	［仮説3］ヒートアイランド現象による乾燥と地表の整備による土の硬化	まとめ（結論）

構成表

問題提示を論証するために、クマゼミの一生と環境の影響を受ける時期について述べた［前提］と小見出しがあるところが〈本論1〉である。そして、［仮説1］［仮説2］［仮説3］に基づいて検証のための実験がされているため、それぞれの小見出しを〈本論2〉〈本論3〉〈本論4〉とすることができる。

しかし、筆者によってつけられた小見出しが、常に〈序論〉〈本論〉〈結び〉に対応するわけではない。あくまでも書かれた内容を踏まえた上で、構成を考えることが大切である。

［前提］に基づいて［仮説1］の実験をし、その結果を踏まえて［仮説2］を立てて検証実験をし、さらにその実験結果から原因を絞り込んで［仮説3］を立てて検証し、最後に結論が述べられているので、展開型（帰結タイプ）の論説文といえる。

(3) 論理よみ

【序論】研究のきっかけ（1～4段落）

4段落①文に文章全体に関わる問題提示がある。まず、1段落でクマゼミの紹介をしている。2段落ではクマゼミの声が以前よりよく聞こえることに気づき、3段落でセミの抜け殻調査をする。その結果がきっかけとなって、なぜ大阪市内でクマゼミの占める割合が高くなったのかを研究しようとしたと述べている。

その問題提示を論証するために、一九六〇年代からの主な変化が都市化による気温上昇、湿度の低下であることから、ヒートアイランド現象による環境変化が有利に働いたのではないかという筆者の考えを検証していくことにしたと述べている。

【本論1】［前提］クマゼミの一生と、環境の影響を受ける時期（5～6段落） 柱は、6

問題提示を論証していく［前提］として、5段落で、クマゼミの一生を、①卵の段階、②孵化して土に潜る段階、③幼虫として地中で過ごす段階、④地上に出て成虫になる段階の四つに分ける。6段落で、この四つの段階の中で気温や湿度など環境の影響を特に受けやすいのが、地上で外気にさらされる、①卵の段階、②孵化して土に潜る段階と、検証の方向を絞り込んでいる。

柱の文は、クマゼミの一生の中で環境の影響を受ける段階を述べた①文と、どう環境の影響を受けるのかを述べた③文・④文となる。

〈本論1〉の要約
クマゼミの一生の中で特に気温や湿度の影響を受けやすいのは、地上で外気にさらされる卵の段階と孵化して土に潜る段階である。（59字）

【本論2】［仮説1］冬の寒さの緩和（7～11段落）　柱は、11

前提の二つの段階の中の卵の段階に着目し、［仮説1］を立て、8段落～10段落で検証実験をし、11段落で検証結果・考察を述べている。

7段落で、気温上昇で寒さが和らぎ、越冬できる卵が増えたという［仮説1］を立てている。8段落ではどれくらいの低温に耐えられるかの実験をしている。9段落では長く続く寒さへの耐性を調べている。10段落では卵を野外に置いて調べるという実験をしている。そして、これらの実験結果から、11段落でクマゼミの卵が寒さに強く、かつての大阪でも十分越冬できたという検証結果・考察を述べている。よって、冬の寒さの緩和はクマゼミ増加の原因ではないと、［仮説1］を否定している。

柱の文は、［仮説1］の検証結果と考察を述べた①・②文となる。

〈本論2〉の要約
クマゼミの卵は寒さに強く、冬の寒さの緩和はクマゼミ増加の原因ではない。（35字）

【本論3】［仮説2］気温上昇による孵化の時期の変化（12～16段落）　柱は、16

前提の二つの段階の中の孵化して土に潜る段階に着目し、［仮説2］を立て、15段落で検証実験をし、16段落で検証結果・考察を述べている。

12～14段落で、セミの卵は気温が上がり、高い湿度を感知すると孵化できる仕組みになっていることを説明している。そして、梅雨の時期と重なることで孵化する確率が高まることを踏まえ、気温上昇で孵化が早まり、梅雨に重なったことで、孵化できる卵が増えたという［仮説2］を14段落で立てた。

15段落で、孵化が遅いクマゼミだけは、孵化する時期の後半に梅雨が明けたという観察結果を述べる。16段落で、気温上昇が早まり、梅雨の時期と重なったことは、クマゼミ増加の原因の一つと考えられるとしながらも、この結果からではクマゼミだけが増えた原因とはいえない不十分さがあると指摘している。

柱の文は、［仮説2］の検証結果と考察を述べた①・③文となる。

〈本論3〉の要約
気温上昇で孵化が早まり、梅雨の時期と重なったことは、クマゼミ増加の原因の一つと考えられるものの、これだけではクマゼミだけが増えた原因とはいえない。（73字）

【本論4】［仮説3］ヒートアイランド現象による乾燥と地表の整備による土の硬化（17～19段落）　柱は、19

［仮説2］の検証結果から原因を絞り込み、孵化して土に潜る段階の土の硬さに着目し、18段落で［仮説3］を立て、19段落で検証実験をし、検証結果・考察を述べている。

17・18段落の抜け殻調査の際の土の硬さの測定結果から、18段落で、クマゼミの幼虫は土を掘る力が強く、ヒートアイランド現象による乾燥と地表の整備によって硬化した地面にも潜ることができるという［仮説3］を立てた。

19段落で、四段階の硬さに押し固めた土に一時間以内に潜れるかどうかを観察し、クマゼミは硬い土に潜る能力が圧倒的に高く、他のセミが潜れない硬くなった地面にも潜れるという実験結果を得た。そして、クマゼミの硬い土に潜る能力が、大阪市内でクマゼミの占める割合が高まった原因と考えられると、問題提示の答えを述べている。

柱の文は、［仮説3］の検証結果と考察を述べた⑤・⑥・⑦文となる。

〈本論4〉の要約
クマゼミは他のセミと比べ、硬い土に潜る能力が圧倒的に高く、ヒートアイランド現象による乾燥と地表整備によって硬化した地面にも潜れることが、大阪市内でクマゼミの占める割合が高まった原因と考えられる。（97字）

【結び】まとめ（⑳～㉑段落）

⑳段落①文「大阪市内でクマゼミの占める割合が高まった背景には、都市部におけるヒートアイランド現象の影響があることが明らかになった。」が、④段落の問題提示に対する検証結果をまとめている。また、②文は〈本論2〉の内容を、③文は〈本論3〉〈本論4〉の内容を、それぞれまとめている。よって、〈本論〉をまとめ、結論を述べているといえる。

また、㉑段落は、クマゼミについての検証を例に、物事の原因を追究する大変さを述べ、そのためには科学的な根拠を一歩一歩積み上げて臨む姿勢が大切だと、研究の姿勢について筆者の考えを一般化して述べている。

したがって、〈結び〉の要約が文章全体の要旨となる。

〈結び〉の要約（全体の要旨）
大阪市内でクマゼミの占める割合が高まった背景に、気温上昇で孵化の準備が早まり、梅雨と重なってクマゼミの孵化率が向上したことと、ヒートアイランド現象による乾燥や地表整備で硬化した都市部の土に潜る能力が他のセミと比べて圧倒的に高かったことがある。物事の原因を追究するために、科学的な根拠を積み上げて臨む姿勢が大切である。（158字）

(4) 吟味よみ

・「研究のきっかけ」「まとめ」という小見出しをつけたことで、〈序論〉がどこまでなのか、どこに問題提示があるのか、〈結び〉はどこからなのかがとらえやすい。また、［前提］［仮説1］［仮説2］［仮説3］の小見出しにより、何について仮説を立て、検証していこうとしているのか、わかりやすくなっている。

・筆者は問題提示となる疑問を述べる際にも、クマゼミの声が以前よりよく聞こえることに気づいたことを調べるためにセミの抜け殻調査をし、事実を確かめた上で述べている。疑問を調べ、仮説を立てて検証していくという科学的な研究のあり様を知ることは、生徒にとって、仮説の立て方や科学的思考の仕方を学ぶ上で、大切なことといえる。

・問題提示を論証していくための仮説の提示を、あえて否定される［仮説1］を最初に、一部肯定、一部否定される［仮説2］を次に、肯定される［仮説3］を最後にという順に提示している。この提示の仕方は、仮説の実験結果から原因を絞り込んでさらに仮説を立て、そして実験検証するという、仮説検証をする大変さや科学的な姿勢を、読者に示すためであると考えられる。実際に、21段落で「クマゼミについてこの結論を得るまでには、何年もの間、実験や観察を重ねる必要があった」と述べている、そして、それは、「科学的な根拠を一歩一歩積み上げて臨む姿勢が大切である」という筆者の考えにもつながっている。

・それぞれの実験や統計結果を、小見出しごとに表やグラフにして掲載しており、得られた数値を文章と比較しながら見ることができるため、とてもわかりやすくなっている。また、「クマゼミの一生」や「大阪府の都市部でクマゼミの占める割合が高まった要因」を図で表すことで、言葉だけでは説明しにくい情報を視覚的にとらえることができ、わかりやすい。

(5) 対話的な授業づくりのための発問例

●［仮説1］を最初に述べた理由を考える

発問1 仮説に基づく実験結果は、それぞれどうなったのか？
発問2 ［仮説3］から述べたらどうなるか。

前提で、クマゼミの一生を、卵の段階、孵化して土に潜る段階としているので、その順に検証をしたと考えられる。また、［仮説1］の実験は二〇〇五年、［仮説2］の実験は二〇〇八年、［仮説3］の実験も二〇〇八年なので、検証実験をした年の順に並べたとも考えられる。

しかし、筆者は問題提示となる疑問を述べる際にも、クマゼミの声が以前よりよく聞こえることに気づいたことを調べるためにセミの抜け殻調査をし、事実を確かめた上で述べている。とすれば、問題提示を論証していくための仮説の提示も、あえて否定される［仮説1］を最初に、一部肯定、一部否定される［仮説2］を次に、肯定される［仮説3］を最後にという順に提示することで、仮説の実験結果から原因を絞り込んでさらに仮説を立て、実験検証するという、仮説検証をする大変さや科学的な姿勢を示そうとしたと考えられる。これは、[21]段落の「私たちがクマゼミについてこの結論を得るまでには、何年もの間、実験や観察を重ねる必要があった。」や、「物事の原因を追究するには～科学的な根拠を一歩一歩積み上げて臨む姿勢が大切である。」という筆者の考えと呼応するものである。

●それぞれの仮説を立てる過程を検討する

発問1 それぞれの仮説を立てるまでの過程を比べてみよう。

〈本論2〉の中で、［仮説1］が提示されているのは最初の[7]段落である。[5]・[6]段落で前提を述べてすぐに

［仮説1］が立てられているのは、気温の影響という、わかりやすい原因によるためだと考えられる。

〈本論3〉の中で、［仮説2］が提示されているのは真ん中の⑭段落である。［仮説1］が否定され、孵化して土に潜る段階に着目して［仮説2］が立てられるわけだが、セミの孵化する状態や雨が降らないと孵化できない仕組みになっていることは、詳しく説明しないと読者にはわからない。そのために、⑫〜⑭段落でその説明をした後に［仮説2］が提示されている。

〈本論4〉の中で、［仮説3］が提示されているのは⑱段落である。［仮説2］が一部否定されたために、さらに原因を絞り込んでいる。⑰段落で都市化の進んだ大阪市内で土が硬くなった原因を詳しく述べ、⑱段落で抜け殻調査の際の土の硬さの測定結果を示した上で、［仮説3］を立てている。

6 『君は「最後の晩餐」を知っているか』

布施　英利（光村図書　2年）

(1) 教材の説明と文種

レオナルド・ダ・ヴィンチの「最後の晩餐」は、解剖学・遠近法・明暗法という絵画の科学を用いた新しい絵であり、絵の修復後、画家が表現しようとした「全体」がよく見えるようになり、「かっこいい」と述べる。二十一段落からなる展開型（付加タイプ）の論説文。

(2) 構成よみ

4段落と16段落の後に行空きがあり、全体が三つに分けられる。4段落に「分析もまた、名画を味わう楽しみの一つ」と話題提示を述べており、ここまでを〈序論〉と考える。21段落で絵を「自分の目で見てほしい」と読者に呼びかけており、ここを〈結び〉と考える。行空きを重く見て、17段落からを〈結び〉とする意見もあり得る。その考えを採らなかったのは以下の理由による。

17〜20段落は、絵の修復を終えた今の「最後の晩餐」のことを述べる。そして、本当の「最後の晩餐」は「二十一世紀の私たちが初めて見たのかもしれない」と、筆者の考えを述べる。5〜16

区分	段落	小区分	段落	内容
序論	4〜1			話題提示とかくれた問題提示
本論	20 〜 5	本論1	9〜5	「最後の晩餐」の絵の説明
			11〜10	解剖学
			13〜12	遠近法
			14	明暗法
			15	遠近法と明暗法の効果の補足
			16	〈本論1〉のまとめ
		本論2	20〜17	現代の「最後の晩餐」
結び	21			読者への呼びかけ

構成表

段落は、レオナルドが用いた技法についての説明であり、それはレオナルドが生きた時代、すなわち過去のことである。それに対して、17~20段落は、現代のことを述べている。つまり、5~16段落と17~20段落は過去と現在を対比した述べ方になっていることが理由の一つである。二つ目の理由として、筆者は4段落で「最後の晩餐」を「かっこいい」と述べ、〈本論1 5~16段落〉と〈本論2 17~20段落〉が、その根拠を述べていると考えるからである。16段落で〈本論1〉の内容をまとめた上で、「『かっこいい。』と思わせる一つの要因」と述べる。20段落で〈本論2〉の内容を受けて、「『かっこいい。』と思える」と述べている。

3段落でレオナルドは解剖学・遠近法・明暗法を研究して「新しい絵画」を生み出したと述べ、そのことを詳しく述べるのが〈本論1〉である。〈本論2〉の内容は、〈序論〉の中でまったく触れられていない。そのことが行空きで分ける理由にもなるのだが、それでは「最後の晩餐」が当時における「新しい絵画」であったことを説明するだけの文章になってしまう。筆者が「最後の晩餐」をなぜかっこいいと思うのか、さらには〈序論〉では述べられなかった今の「最後の晩餐」のことを〈本論2〉で述べていることから付加タイプととらえるのである。「かっこいい」と思う理由や、今の「最後の晩餐」の見方に筆者独自の考えを見ることができるので、論説文といえる。

なお、〈本論1〉は構成表に示したように内容のまとまりを細かくとらえることができるが、それは論理よみの中でおこなえばよい。

(3) 論理よみ

【序論】(1~4段落)

1段落で「イタリアの天才画家」、2段落でレオナルド・ダ・ヴィンチ、4段落で「最後の晩餐」と次第に話題を絞り込んでいく述べ方になっており、うまい書き出しといえる。3段落で「解剖学」「遠近法」「明暗法」の三つの科学を紹介し、[4]段落「分析もまた、名画を味わう楽しみの一つ」と話題提示して、〈本論1〉へとつなげる。

[4]段落③文が〈本論1〉〈本論2〉の実質的な（あるいは隠れた）問題提示となっている。「かっこいい」という言葉は、[4]段落、[16]段落、[19]段落の三回使われている。ただし[4]段落③文は、はっきり問題提示とわかるような書かれ方をしておらず、ここを読んだだけで問題提示ととらえることは難しい。〈本論〉を丁寧に読んでいくことで、「かっこいい」と思う理由を述べていることがわかるのであり、最初から問題提示としておさえる必要はない。

【本論1】（[5]〜[16]段落）柱は、[16]

[16]段落で〈本論1〉をまとめている。

[5]段落が「『最後の晩餐』は、」と始まり、[9]段落「〜これが『最後の晩餐』なのだ。」と述べ、[5]〜[9]段落で「最後の晩餐」のある場所、絵の構図、絵の場面の意味を説明する。

[10]段落で、「手のポーズは心の動きを表す」ことを述べ、[11]段落で解剖学が「心の内面」を描くことを可能にしたと指摘する。

[12]・[13]段落で遠近法について述べる。[12]段落で遠近法を説明し、そのことで「部屋に奥行きが感じられるように」なるという。[13]段落で結果として見る人の視線がキリストに集まるように描かれていることを指摘する。

[14]段落では、明暗法の効果を説明し「本物の食堂の延長」のように見えるという。

[15]段落で「このように」と遠近法と明暗法の効果として本物の部屋のように見えると述べる。ここまで解剖学・遠近法・明暗法の三つを並べて述べてきたにもかかわらず、なぜここでは遠近法と明暗法の二つを受けて述べるのだろうか。[15]段落はなくても、特に支障のない段落のようにも見える。[15]段落は、遠近法と明暗法の

まとめの段落ではなく、14段落の「本物の食堂の延長」を補足している段落である。〈本論1〉は過去のことと述べたが、絵が描かれた当時における絵の効果を述べているのである。

解剖学、遠近法、明暗法という「絵画の科学」が「新しい絵を生み出した」ことを説明するとともに、そのことが筆者の「最後の晩餐」を「かっこいい」と思う理由となっている。

〈本論1〉の要約

「最後の晩餐」は、レオナルドが究めた解剖学、遠近法、明暗法という絵画の科学を用いた新しい絵であり、その可能性を目のあたりにできることが、絵を「かっこいい」と思わせる一つの要因である。（91字）

【本論2】（17～20段落）柱は、19・20

今の「最後の晩餐」について19・20段落で筆者の考えを二つ述べている。

17段落で絵がぼろぼろになり修復が行われたことが述べられる。18段落で修復の結果鮮やかな色彩がよみがえったが、絵の細部は剥がれてなくなっていたことが述べられる。それを受けて19段落①文でその絵を「魅力的」という。「絵の『全体』がよく見えるようになった」からだという。⑦文でそれを言い換え、⑧文で「だから～『かっこいい。』と思える」と述べる。細部が失われたことで、レオナルドが表現しようとしたものがよく見えるようになり、それが「かっこいい」と思えるのだと筆者の考えを述べる。

20段落で絵が書かれた当時の人は、細部のすごさに感嘆したかもしれないが、絵の本当の魅力が見えなかったのではないかという。その上で、⑥文で、「本当の『最後の晩餐』は、二十一世紀の私たちが初めて見たのかもしれない」と述べる。これがもう一つの筆者の考えである。

「最後の晩餐」の細部が失われたことで、かえって絵の「全体」がよく見えるようになったというのである。これ自体が筆者独自の見方である。そこから筆者は、現在の「最後の晩餐」を「かっこいい」と思える、私たちが初めて見たのかもしれないと主張するのである。

20段落には②文「そういうもの」、③文「そんなこと」、⑦文「それ」と指示語が頻出する。指示内容を確認していくことが大事になる。特に⑦文「それ」は、⑤文の「そのような『全体』」を指し、19段落④～⑥文の内容（「つまり」で19段落⑦文にまとめられている）を受けている。

〈本論2〉の要約

修復を終えた「最後の晩餐」は、絵の細部が消えてなくなっているためにかえって、「全体」がよく見えるようになり、レオナルドが表現しようとしたものがよく見えるため、「かっこいい。」と思える。本当の「最後の晩餐」は、二十一世紀の私たちが初めて見たのかもしれない。（127字）

【結び】（21段落）

〈本論〉の内容は述べられず、読者にいつかイタリアで「最後の晩餐」を見てほしいという呼びかけで終わっている。したがって、全体の要旨は〈本論1〉〈本論2〉でまとめればよい。

（全体の要旨）

レオナルドが究めた解剖学、遠近法、明暗法という絵画の科学が新しい絵を生み、その可能性を目のあたりにできることが、「最後の晩餐」を「かっこいい」と思わせる要因の一つである。修復を終えた「最後の晩餐」は、細部が消えてなくなっているためにかえって、絵の「全体」がよく見えるようになり、レオナルドが表現しようとしたものが、とてもよく見えるため、「かっこいい。」と思える。本当の「最後の晩餐」は、二十一世紀の私たちが初めて見たのかもしれない。（216字）

(4) 吟味よみ

・絵は、見る人それぞれの見方で見て、感じればよいといった感覚的な見方をされてしまうところがある。この文章は、解剖学、遠近法、明暗法という科学から絵を説明しており、絵のどこに着目すればよいのか、あるいはどのような仕掛けが絵に施されているかがわかりやすく解説されている。「分析もまた、名画を味わう楽しみの一つ」と述べているように、絵を感覚でとらえるのではなく、分析的に読んでいる。そこにこの文章の面白さ・魅力がある。

・15段落は「このように」があることで、遠近法と明暗法のまとめの段落のように見えてしまう。しかし、内容を見ていくとまとめではなく、当時における絵の効果を補足している段落とわかる。それゆえ、15段落がなくても、展開上は大きな支障はない。この段落は必要か不要かといった問いかけをすることで、なぜ筆者が15段落を書いたのか、その意図を考えることができる。

・17〜20段落、すなわち〈本論2〉がなくても、この文章は成立するのではないだろうか。「最後の晩餐」が解剖学、遠近法、明暗法を用いた科学的な絵であることでも十分説得力はある。なぜ筆者は17段落以降を書いたのだろうか。16段落までだと、「最後の晩餐」に関わる話はすべて過去のものとなる。またそれだけだと、絵に用いられた科学を説明するだけの文章になってしまう。17段落以降が書かれることで、絵の現在が問題とされる。また、絵の「全体」がよく見えるようになったという筆者独自の考えが示されることにもなる。つまり、17段落以降が加えられることで、「最後の晩餐」をめぐっての過去と現在が対比され、筆者独自の考えが展開されることになる。ただ単に昔のことを説明した文章から、「最後の晩餐」の今をも述べた文章に変わるのである。

それゆえ、行空きに頼って、形式的に「序論―本論―結び」の構成をとらえてしまうと、17段落以降の持つ意味が見えてこない。なぜ筆者は16段落の後に行空きを設けたのか、16段落までと17段落以降がどのような関係になっているかにしっかりと着目させることが大事になる。

・細部が剥がれ落ちて、かえって絵の「全体」が見えるようになったと筆者は述べる。そのこと自体は理解できなくもないが、それは細部を見ることができないがための強がりといえないだろうか。できることならば、レオナルドが描いた細部を見たいと思うのが自然な感情ではないだろうか。「二十一世紀の私たちが初めて見たのかもしれない」というのは、その通りかもしれないが、そこには細部を見ることができない残念な思いも合わせてあるのではないか。

(5) 対話的な授業づくりのための発問例

●文章構成をとらえる――〈結び〉を考える

発問1 〈結び〉は、17段落からか、21段落だけか？
発問2 17段落以降ではどんなことを述べている？

構成よみで、〈結び〉がどこからかを決めることだけに目を向けてはダメである。構成をとらえることで、文章をより深くとらえることができるようにするのである。行空きがあるからそれ以降が〈結び〉と安易にとらえるのではなく、なぜそこに行空きを設けたのか、行空きの前と後では内容はどのように異なっているかを考えていく。「かっこいい」という言葉が、4・16・19段落の三箇所で用いられていることに注意したい。

●〈本論1〉の組み立てを読みとる

発問1 解剖学、遠近法、明暗法について述べているのはどこ？
発問2 なぜこの順番なのか？
発問3 15段落はなくても構わない？

三つの科学について述べていることを読みとるだけでなく、なぜこの順序で述べているかを考える。解剖学は「一人一人の心の内面」を描くことにねらいがあった。遠近法は「部屋に奥行きが感じられる」ことと絵の構図に意味があった。明暗法を用いたことで「本物の食堂の延長」のような効果を生んだ。解剖学は描かれる人物に関わるが、遠近法と明暗法の効果は絵全体に関わり、「本物の部屋であるように見え」る効果をもたらすのである。「最後の晩餐」は、サンタ・マリア・デッレ・グラツィエ修道院の食堂の壁画として描かれた。レオナルドは、食堂の壁画であることも計算に入れて描いたのである。それゆえ、筆者は「こんな部屋で食事をしたら、まるでキリストたちといっしょに晩餐をしているような気持ちになる」と、15段落で食堂の壁画として描かれた意味を説明し、絵がその当時持っていた効果を述べる。三つの科学の説明の順序に意味があることがわかるとともに、15段落の役割も明確になる。

7 『「正しい」言葉は信じられるか』 香西 秀信

（東京書籍 2年）

(1) 教材の説明と文種

写真や新聞の言語表現を比較しながら、片方だけを「事実」だと信じると、「正しいこと」にだまされるかもしれない。そうならないために、事実と言葉の関係を理解し、複数の視点から眺める習慣をつけなければならないことを述べている。【Aさん】【Bさん】・【A新聞】【B新聞】などの部分は、関連する前の段落に含める。十三段落からなる展開型（帰結タイプ）の論説文。

(2) 構成よみ

1段落で犬と猫の写真を示し、映像表現と言語表現の違いを述べる。そして3段落で、言葉で表現すると、本来順序のついていない情報に順序をつける必要が生じるとまとめている。1段落から例を示し具体的な説明になっている。つまりこの文章には問題提示や話題提示はない。したがって〈序論〉はない。題名を話題提示と読んだ方がよい。

1〜12段落まで、言葉の持つ性質について具体例を示して述べ、

序論	本論 1	本論 2	本論 3	本論 4	結び
	1〜12				13
	1〜3	4〜6	7〜8	9〜12	
なし（題名が話題提示）	言語表現は、情報に順序をつける必要がある	読み手に与える印象が異なることがあるが、どちらも「正しい」	語感の異なる複数の言葉で表現することが可能	言葉の選び方によって、異なった評価をされても、両方とも「正しい」	結論

構成表

[13]段落で、片方だけを「事実」だと信じると、「正しいこと」にだまされているかもしれない。そうならないためにも、事実と言葉との関係をしっかり理解し、複数の視点から眺める習慣を身につけなければならないとまとめている。したがって[13]段落が〈結び〉となる。

〈本論〉は、A、Bの二つの言語表現の例を並べて、事実に誤りがなければどちらの表現も間違いではないが、言葉が読者に与える印象が違うと述べている。なお[1]〜[3]段落は、映像（ここでは写真）を言葉で表現する場合の違いを述べており〈本論1〉とする。[4]〜[6]段落は、使う言葉により印象が違ってくるが、どちらも「正しい」と述べており〈本論2〉とする。[7]〜[8]段落は、言葉とは同一の事実を語感の異なる複数の表現が可能であると述べており〈本論3〉とする。[9]〜[12]段落は、書き手が事実を表現するために、どんな言葉を選ぶのかで異なった印象をもつが、両方とも「正しい」と述べており〈本論4〉となる。

(3) 論理よみ

【本論1】（[1]〜[3]段落）柱は、[3]

柱は、[3]段落⑤文である。[1]段落は犬と猫の写真について、言葉による二つの表現を述べている。[2]段落は、二つの言語表現は間違いではなく両方とも正しいと[1]段落の内容を検討している。そして[3]段落で、映像表現を言葉で表現すると、情報に順序をつける必要が生じるとまとめている。[1]〜[2]段落は、[3]段落の前提になっている。

〈本論1〉の要約
現実生活を言語で表現しようとすると、本来順序のついていない情報に順序をつける必要が生じる。（45字）

【本論2】（4～6段落）柱は、6

柱は、6段落①文である。4段落でAとBの二つの新聞記事が示される。5段落で、A新聞とB新聞の情報は同じであるが、言葉による表現によって読み手に与える印象はかなり違うと述べる。そして6段落で、言葉による表現は読み手に与える印象が大きく異なるが、どちらも「正しい」とまとめている。4～5段落で例を示して詳しく説明し、6段落でまとめるという関係になっている。

〈本論2〉の要約
言葉による表現には、読み手に与える印象が異なるにもかかわらず、どちらも「正しい」ということがある。（49字）

【本論3】（7～8段落）柱は、8

柱は、8段落④文である。7段落は〈本論2〉の新聞記事を、別の言葉を使って表現している。そして8段落で、7段落の新聞記事の表現を取り上げ、同一の事実を語感の異なる複数の言葉によって表現することが可能であるとまとめている。7段落を受けて8段落でまとめるという関係になっている。8段落④文の「つまり」は、述べてきたことをまとめるときに使う接続語で、柱を見つけるときの参考になる。

〈本論3〉の要約
事実と言葉とは一対一の関係にあるのではなく、同一の事実を、語感の異なる、複数の「正しい」言葉によって表現することが可能である。（63字）

【本論4】（9～12段落）柱は、12

柱は、12段落①・②文である。9段落でAとBの二つの新聞記事が示される。そして10段落で、事実を表現するために異なる言葉を選んでも間違いではないが、読み手は異なった印象を持つと述べる。さらに11段落で、人間の長所と短所の表現と図形の見方の例を示し、12段落で異なった評価（表現）がなされても、両方とも間違いではないとまとめている。9～10段落の新聞記事と、11段落の人間の長所と短所と図形の例を12段落でまとめるという関係になっている。なお、12段落だけが、まとめを述べた後、さらに別の例が示されている。理由は、吟味よみで述べる。

〈本論4〉の要約
言葉の選び方によって、異なった評価がなされる場合があるが、両方とも「正しい」場合もありうる。
（46文字）

【結び】（13段落）

〈本論1〉～〈本論4〉の言葉による表現の性質を受けて、13段落④・⑤文に、片方だけを読み、それをそのまま「事実」だと信じ込むと、「正しいこと」にだまされているかもしれない。そうならないためにも、事実と言葉の関係をしっかり理解し、物事を複数の視点から眺める習慣を身につけなければならないとまとめている。なお〈結び〉の要約は、話題提示（題名）の答えになっており全体の要旨にもなっている。

〈結び〉の要約（全体の要旨）
片方だけを読み、「事実」だと信じ込むと、「正しいこと」にだまされているかもしれない。事実と言葉の関係をしっかり理解し、物事を複数の視点から眺める習慣を身につけなければならない。（88字）

(4)　吟味よみ

写真（映像）と文章（言語）の表現の違いを、いきなり読者に提示しているところが面白くて新鮮である。また話題提示の論証をおこなうのに、写真や新聞記事を用いて、わかりやすく説明している。二つの記事を比較して述べている点もわかりやすい。

〈本論４〉の12段落だけが、まとめを述べた後、さらに例が示されている。〈本論１〉〜〈本論３〉は、まず例を示し、その後に検討してまとめている。〈本論４〉は、9〜11段落で例を示し、12段落でまとめており、その後に例は必要ない。例がなくても意味は通じる。ではなぜ12段落の後に例を入れたのだろうか。それは読者に判断させるためである。つまりA新聞とB新聞とで、自分ならどう考えるのかと読者に判断を委ねるために、最後に例を示したのである。なぜ読者に判断を委ねたのかを考えさせたい。

「物事を複数の視点から眺める習慣を身につけなければならない」とあるが、具体的にはどうすればよいのか。例えば二つ以上の新聞を日々比べて読むことは、誰もができることではなく、難しいことである。

筆者の述べるように、AともBともいえる場合もあるが、強引にAのものをBという場合や、ごまかしでいう場合もある。AともBともいえるという言い方の中には、何でも認めてしまうという事態をあいまいにとらえようとする姿勢も含まれていないだろうか。

一般的には、事実と意見を分けてとらえるといった言い方がなされる。しかし、この文章で述べていることは、事実の取り出しには、意見がすでに入っているということである。どのような見方をするか、何を優先し、どのような言葉を用いるかということで、一つの事実を表現するにしても、さまざまな言い方が可能になるのではないだろうか。

(5) 対話的な授業づくりのための発問例

●「序論—本論—結び」の三部構成を読みとる

発問１　話題提示は、どこに書かれている？
発問２　具体的な説明は、何段落から始まっている？
発問３　話題提示の答えは、何段落に書かれている？

この文章は〈序論〉がない。つまり話題提示（問題提示）がない。いきなり具体を述べており、〈本論〉から始まっている。13段落が〈結び〉になっており、まとめになっている。なおこの文章では、題名を話題提示と読んだ方がよい。

説明的文章の典型構成は三部構成であるということがわかっているからこそ〈序論〉がないということがわかるのである。また文章の構成を読みとる上で大切なことは、文章全体を三つに分けることだけでなく、問題提示（話題提示）とその答えがどこにどのように述べているのかを読みとることである。

●〈本論2（4〜6段落）〉の段落の論理関係を読みとる

発問1　〈本論2〉の柱の段落は、何段落か？
発問2　柱の段落と、柱の段落以外の関係はどうなっている？

〈本論2〉の柱は6段落である。4〜5段落で例を示し、6段落でまとめるという関係になっている。なお6段落の中の柱の文（ここでは①文）を探し、要約文を作らせるとよい。

●12段落を吟味する

発問1　12段落は、他の段落と比べて何か違和感はある？
発問2　〈本論1〉〜〈本論3〉までと、〈本論4〉の書かれ方の違いは？
発問3　なぜ12段落だけ、例を後に入れたのか？

12段落だけが、まとめを述べた後に例が示されている。他の段落は、まず例を示し、その後例について説明している。〈本論4〉のまとめは12段落ですでに述べており、例がなくても意味は通じるので、12段落の後に例を示す必要はないとも考えられる。一つ前の11段落にこの例を入れるという考えもできる。ではなぜ、まとめた後にあえて例を示したのだろうか。それは筆者がすべて答える（まとめる）のではなく、読者に判断を委ねるために最後に例を示したのである。そう考えると、この例は必要であるということになる。A新聞は、某氏の性格を否定的に表現し、B新聞は、某氏の性格を肯定的に表現しているが、両方とも間違いではないことを、読者に考えさせようとしているのである。

この後「12段落の後に、例を入れたのはなぜか。」という課題を出し、生徒に自分の考えを書かせる学習を計画してもよい。

8 『作られた「物語」を超えて』 山極　寿一

（光村図書　3年）

(1) 教材の説明と文種

野生動物の行動の意味を人間が誤解し、都合のよい「物語」を作ることで起きた動物の悲劇を、ゴリラを例に紹介している。そのような誤解に基づく「物語」は人間の社会にも悲劇をもたらしている。作られた「物語」を超え、その向こうにある真実を知ろうとすることが、新しい世界と出会うための鍵であると筆者独自の考えを述べている。十二段落からなる展開型（付加タイプ）の論説文。

(2) 構成よみ

[1]段落を〈序論〉と読む。「このような『物語』は動物たちに大きな悲劇をもたらすことがある。」の一文が[7]段落までの話題提示である。話題提示を受けて、[2]段落以降でゴリラを例にどのような悲劇をもたらしたかを述べている。ただし、この話題提示は全文に関わっておらず[7]段落でまとめられている。全文との関係でとらえると限定的な話題提示である。[8]段落以降は、[7]段落までを踏まえて付加される部分ととらえるが、筆者の考えはむしろ[8]段落以降で示されていく。よって、[1]〜[7]段落を〈本論1〉、[8]〜[11]段落からを〈本論2〉ととらえることも可能である。しかし、[1]段落を話題提示ととらえ、そのまとめを[7]段落とし、そこまでの内容を受けて[8]段落

序論	本論		結び
[1]	[2]〜[11]		[12]
	本論1 [2]〜[7]	本論2 [8]〜[11]	
話題提示	誤った「物語」によるゴリラの悲劇	人間の社会にも起きる「物語」による悲劇とその解決のために必要なこと	まとめ

構成表

以降が展開されていると読む方がわかりやすい。[1]段落を本論に含めると、話題提示が見えにくくなり、かえって構成がわかりにくくなる。全体としては展開型（付加タイプ）の論説文と考える。

〈結び〉は[12]段落である。この段落ではゴリラのことはもう述べられていない。「独りよがりな解釈を避け」「常識を疑うこと」「相手の立場に置き換えて考えてみる視点が重要」と現代に生きる私たちの生き方について述べ、最後の⑤文で人間の誤解に基づく作られた「物語」について、真実を知ることが「新しい世界と出会うための鍵」であると、筆者独自の考えがまとめられている。

〈本論〉は大きく二つに分かれる。[2]段落でゴリラが「格好の例」として、どんな悲劇が人間によってもたらされたかを説明していく。ゴリラの生態を「ドラミング」の例を中心に説明し、[7]段落で「好戦的で凶暴」という「物語」のせいで、多くのゴリラが命を落とし、捕らえられた子供は檻に鎖でつながれるという状態が二十世紀末まで続いたという悲劇が明かされる。ここまでが〈本論1〉である。

[8]段落は、なぜそんな誤解をしたのかということを、人間が「言葉を発明」したことに由来すると述べる。言葉は、人間が飛躍的に発展する道を開いたとする一方、言葉によって生じた誤解が社会の常識になってしまうことがあるとも述べ、言葉の功罪についての認識を示している。誤解に基づく作られた物語が生まれる原因として「言葉」の発明をあげている点でこの段落は重要である。そして[9]段落以降で、誤解に基づく「物語」は人間の社会にも悲劇を起こすと、内容をゴリラから人間へと移していく。したがって、人間の社会について言及の始まる[8]段落からを〈本論2〉とする。

(3) 論理よみ

【序論】（[1]段落）

人間の動物に対する都合がいい解釈、いわば人間が作った物語が動物たちに大きな悲劇をもたらすことがあると話題を提示している。ここでいう物語とは「人間が動物の行動について本来の意味を取り違えて伝えてしまった間違った解釈」という意味である。2段落以降でその例としてゴリラのことを説明していく。

【本論1】（2〜7段落）柱は、7

〈本論1〉は序論の話題提示を受けて、2段落①文で「私が研究しているゴリラはその格好の例である」と、説明を始めている。続く④文で「ゴリラを撃ち殺した」と、すでにゴリラにもたらされた悲劇に言及しているが、2段落全体は、ゴリラのドラミングが「暴力の権化」「戦い好きな怪物」という人間が作った「物語」の原因となったことを説明している。

3段落で、そのイメージを間違いであると否定し、4〜5段落以降で実際に観察した様子を紹介している。6段落で「このように」とそこまでの内容を受けドラミングの本当の意味を説明する。7段落で、ドラミングの意味を人間がどのように解釈したかをもう一度繰り返し、そのような作られた「物語」が、「ハンターたちの標的」となり命を落とすというゴリラの「悲惨な運命」につながったと述べる。1段落の話題提示に対する内容が、この7段落でまとめられている。2段落でゴリラのドラミングに対する人間の誤解した「物語」を示し、3段落からその行動の本当の意味を説明し、7段落で、本当の意味を理解せず作り出した人間の「物語」が悲劇を生んだことを述べている。

〈本論1〉の要約
ドラミングを「戦いの宣言」と誤解した人間によって多くのゴリラが悲劇にみまわれた。（40字）

【本論2】（8〜11段落）柱は、10・11

8段落から誤解を生んだ理由を説明していく。この段落から「人間は言葉を発明して」「言葉は人間の社会に」「言葉には自分の体験を」と今まで使われなかった「言葉」という語が多用されるようになる。8段落で三回、9段落で二回、12段落で一回出てくる。「言葉」が、「物語」を作る上で重要な要素であることを示している。

言葉は人間が飛躍的に発展する道を開いたと述べる一方で、言葉は「誤解」を生み、「誤解」に基づく「物語」が社会の常識となってしまうことがよくあると、言葉の危うさを指摘する。そしてその「物語」は、「人間の社会にも悲劇をもたらす」と9段落につなげていく。9段落では誤解された「物語」によって、紛争が絶えないルワンダとコンゴの例を示し、世界各地で起きている争いや衝突の原因として誤解された「物語」をあげている。

10段落では、①文で再びゴリラのことに話を戻し、ゴリラへの誤解を解くために必要だったことは何かを述べていく。②文で「相手の立場」に立つこと、③文で「常識を疑ってみる態度」も必要と述べる。④文で「物語」について、思いを巡らせることが大切だと説く。「物語」について、一見常識的で自明と思われるようなことでも、さまざまな立場や見方で考えて見ることが必要だということである。

11段落もゴリラの話から始まっているが、③文の「同じように」が示すように、筆者は「この地球に生きるさまざまな人々」に対して「文化や社会をよく理解することが必要」だと述べている。〈本論1〉のゴリラの話を踏まえつつ、誤解を超えた先に新しい価値観を持つ豊かな世界が広がっていたことを知ったのと同じように、相手の文化や社会をよく理解する必要があると述べている。

〈本論2〉の要約
「物語」による悲劇は人間にも絶えず起こっており、解決には自分と反対側に立ち常識を疑って相手の文化や社会を理解する必要がある。（62字）

【結び】（12段落）

①・②文で8段落前半の内容を繰り返し、「言葉をもった人間」の発展について述べる。人間が言葉を持つこと自体は否定せず、肯定的に述べる。③文で人々が「行き交う」という現代の時代認識を示す。①〜③文を受けて、④文で「だからこそ」と、自分の考えを繰り返し述べようとしている。

「常識を疑うこと」「相手の立場に置き換えて考えてみる視点が重要」と、10段落の②文と③文の言葉を繰り返し、⑤文で筆者の考えをまとめている。

〈結び〉だけを要約するとゴリラの話題に触れないことになる。8段落以降の付加の部分に筆者の考えが述べられていると読めば〈結び〉だけの要約は適切といえる。しかし、「人間が作った物語」という観点から読むと、ゴリラの悲劇と人間の紛争はどちらも「人間が作った物語」が原因という点で共通である。また、この文章は、ゴリラの専門家である筆者が語るゴリラのドラミングの話は面白く、それが読み手に説得力を与えている。よって、ゴリラのことを含めた内容を全体の要旨とする。

〈結び〉の要約（全体の要旨）
ゴリラのドラミングは、戦いを宣言していると解釈した人間の「物語」によって大きな悲劇にみまわれた。こうした悲劇は人間社会にも起こっており、世界各地で争いや紛争が絶えない。誤解を解くためには、作られた「物語」を乗り越え、真実を知ろうとすることが重要であり、それが新しい世界と出会うための鍵となる。（146字）

(4) 吟味よみ

霊長類学者である筆者が、自らの観察を根拠にゴリラの生態を説明しているので読み手への十分な説得力がある文章である。作られた「物語」による悲劇の「格好の例」としてあげられたゴリラが、筆者の専門とする研究対象であることから、前半のドラミングの説明が大変わかりやすい。この前半の書き方が魅力的なことが、後半の、ゴリラの悲劇が人間への悲劇も招いているという展開を受け入れやすくしている。「作られた『物語』を超えて」という題名も読み手の興味を強くする工夫が見られる。

ただ、筆者の知見は豊富であると感じるが、世界各地で起きている衝突や紛争を、すべて「物語」が原因となっているような書きぶりには注意が必要である。後半は前半と比べて具体性に乏しい。コンゴやルワンダの例について、ゴリラほどの丁寧さをもって語られてはいない。その点で、人間の社会にもたらされている悲劇については観念的な述べ方といえる。

吟味するには、ゴリラ以外に人間の作った「物語」が原因で悲劇にみまわれた動物はいないか、逆に誤解されたために助かった動物はいないかなどを考えさせる方がよい。あるいは、筆者はなぜゴリラのことしか書かなかったのかを問うてもよい。ゴリラの専門家でもある筆者は、書かなかったというより、恐らくゴリラのことしか書けなかったのであり、そのため、人間に話を移したときに具体が弱くなったのである。

そう考えると、なぜ〈本論1〉で書くのを止めなかったのかということになる。それは、〈本論1〉だけでは、かつてのゴリラの悲劇という過去の話になってしまうからで、筆者は、ゴリラを例に、今の問題として、「現代」のことを語ろうとしているのである。

さらに、この文章の〈本論1〉がなく、〈本論2〉だけであればどんな印象の文章となるだろうか。ゴリラの悲劇という専門家としての知見が前提となっている文章であるため、〈本論2〉だけでは説得力は乏しくなるだろう。つまり、この文章は、構成上は付加タイプであるが、二つの本論を合わせて一つの説得力ある論説文となっているといえる。

(5) 対話的な授業づくりのための発問例

●『作られた「物語」を超えて』の構成を読む

発問1　〈序論〉はどこだろう？
発問2　前半は何について述べているのか？
発問3　後半は何について述べているのか？

[1]段落を話題提示としてとらえさせる。そして話題提示に直接答えているのは[7]段落であり、この段落で話題提示との関係は完結する。つまり、話題提示が文章全体に及んでいないという点を読みとらせる。こうしてこの文章は[8]段落以降を付加するタイプの展開型の構成であることを理解させる。そのような理解が、構成を読みとりやすくさせることに気づかせる。但し、付加タイプといっても付け加えではなく、むしろ、この付加のところから筆者の考えが展開していくことを確認すべきである。

●〈本論1〉と〈本論2〉の関係を読む

発問1　ゴリラと人間の悲劇とはそれぞれ何か？
発問2　二つの共通点は何か？
発問3　〈本論1〉と〈本論2〉はどんな関係か？

それぞれの悲劇は、ゴリラは[7]段落、人間は[9]段落に記述がある。本文の言葉を使ってまとめるとよい。それを踏まえて、誤解の原因の共通点を考えることが対話を生み、思考を深める。

相手を敵と見なすという「物語」を疑わず継承していくことで果てしない戦いの心や敵意を持ち続けるという共通性をまとめさせる。ゴリラに対しても人間に対しても誤解した「物語」を人間が作っている、それによって争いが起きているという見方は筆者の主張の中心なのでまとめさせたい。

〈本論1〉と〈本論2〉は、どちらも「人間が作った物語」という点でつながっている。内容的にはゴリラと人間というまったく違う話のようであるが、人間の紛争も、ゴリラの悲劇も、人間が作った物語を原因に、一つのまとまりを見せる。構成上は付加タイプととらえるのが適当だが、内容的には並列型といえる。

●〈本論2〉を検討する

発問1 なぜ〈本論1〉だけで終わらなかったのか?
発問2 なぜ〈本論2〉だけを書かなかったのか?

相互に関連する問いである。〈本論1〉だけで終わると、霊長類学者である筆者の専門的な知見が述べられるだけの説明文となってしまう。〈本論2〉だけだと、主張が観念的なものにとどまり、説得力が弱くなる。学者である筆者が、自分の専門分野に関することを具体例にして、そこから人間の営為について独自の考えを述べるところにこの文章の面白さがある。筆者の問題意識は、あくまで現代を意識していることを確認したい。

9 『誰かの代わりに』 鷲田　清一

（光村図書　3年）

(1) 教材の説明と文種

苦労や困難があっても、他の人と関わり合い、弱さを補い合うからこそ、人は倒れずにいられ、自分が存在する意味を感じながら生きることができると述べている。この文章は、「自分には、他の人にないどんな能力や才能があるだろう。」等と、「」（カギ括弧）が行頭に書かれていることが多いので、冒頭から三行目までを[1]段落、終わりにある「パンセ」の引用文を含む四行を一つにまとめて[15]段落とした。十六段落からなる展開型（帰結タイプ）の論説文。

(2) 構成よみ

[1]段落で「自分にしかないものは何だろう。」と考えたことはないかと読者に問いかけ、[2]段落で「自分とは何か」という問いは、世代を超えて誰もが問わずにはいられない時代であると述べる。[1]～[2]段落を受けて、[3]段落の、今の社会は自由が保障されているが、自由があるからこそそのしんどさがついて回るという話題提示につながっている。したがって[1]～[3]段落が〈序論〉になる。

序論	本論			結び
[1]～[3]	[4] ～ [13]			[14]～[16]
	本論1 [4]～[6]	本論2 [7]～[11]	本論3 [12]～[13]	
話題提示	個人の自由が保障される社会の問題	今の社会では自立が必要だが、自立とは支え合うことである	苦労を引き受けるためには、人と支え合うことが必要である	まとめ

構成表

14段落で、他の人たちと関わり合い、弱さを補い合うからこそ人は倒れずにいられ、自分が存在する意味を感じながら生きることができるとまとめている。ここに、「誰かの代わりに」という思いが常に求められるものであることの理由があるという。したがって14～16段落が〈結び〉になる。

〈序論〉の話題提示を受けて、4～13段落は、自由があるからこそしんどさがあるが、苦労を苦労としてそのまま引き受け、人と支え合い、人と応じ合うことで乗り越えていくことができると述べており〈本論〉になる。

なお4～6段落が〈本論1〉である。何にでもなれる社会は、裏返していえば「何ができるか」で人の価値を測る社会でもある。「あなたは何ができますか」と他から問われて苦しくなり、今の自分をこのまま認めてほしいという依存症に陥ってしまうことがあると述べている。7～11段落は、受け身ではなく、苦労や困難を引き受ける強さが必要であり、それは相互に支え合うことであると述べており〈本論2〉である。12～13段落は、苦労や困難は、人と支え合い、応じ合うことなど、他の人たちとの関わりの中でこそ克服することができ、自分が存在する意味があると述べており〈本論3〉になっている。

(3) 論理よみ

【序論】(1～3段落)

1段落で、「自分にしかないものは何だろう」と読者へ問いかける。2段落で、「自分とは何か」の問いは、世代を超えて誰もが問わずにいられない時代であると述べる。3段落で、「個人により大きな自由が保障される社会であるからだ」と、2段落の理由を述べる。しかし、自由な社会だからこそ自由があることのしんどさがついて回ると述べる。ここから自由な現代社会の持つ問題を述べようとしていることがわかる。1～2段落を受けて、3段落で話題提示を述べている。

【本論1】（④～⑥段落）柱は、⑥

③段落の話題提示を受けて、④段落では、何にでもなれる社会ということを裏返していうと、何をしてきたか、何ができるかで人の価値を測る社会ということでもあり、「自分とは何か」という問いを、「こんな私でも、ここにいていいのだろうか」という、切ない問いへ変えてしまうと述べる。そして⑤段落で、今のこの私をこのまま認めてほしいという、無条件の肯定を求めるようになると述べる。⑥段落で、無条件の肯定を求めることは危うく、依存症に陥ってしまうことがあるとまとめている。④～⑤段落で自由があるからこそのしんどさを述べ、それを受けて⑥段落でまとめるという関係になっている。

〈本論1〉の要約

何にでもなれる社会は、人生において何を成し遂げたか、どんな価値を生み出したかで測られる社会でもある。それゆえ苦しい思いから、「あなたはあなたのままでいい。」と言ってくれる人を求めることになり、人を受け身の存在にさせてしまうことがある。（117字）

【本論2】（⑦～⑪段落）柱は、⑦・⑩・⑪

⑦段落は〈本論1〉を受ける。受け身な存在でいては、人生で見舞われる苦労や困難などは、何も解決できない。解決のためには、困難や苦労を自分で引き受ける強さが必要であると述べる。⑧段落で、強さとは「自立」ともよばれるが、誰かに依存しないという意味の独立ではないと述べる。⑨段落では、誰も独りでは生きていけなく、互いに依存し合っていることを詳しく述べる。さらに⑩・⑪段落で、「自立」を別の言葉で言い直し、筆者独自の考えで説明している。⑩段落では、「自立」は「インターディペンデンス」（支え合い）ととらえる必要があると述べる。⑪段落では、「責任を負う」ことの本当の意味は、訴えや呼びかけに応じ合うことだと述べる。つまり⑩・⑪段落で、「自立」と「責任」について、筆者が今までとは異なる新たな考えを提

示している。

〈本論2〉の要約
苦労や困難を克服するためには、それを自分で引き受ける強さが必要である。強さは「自立」であり、支え合い、訴えや呼びかけに応じ合うという協同の感覚であり、「誰かの代わりに」という意識である。（93字）

【本論3】（12～13段落）柱は、13

12段落は、13段落の前提である。12段落で苦労や困難は避けたい、免除されたいという思いが働くが、それは誰か他の人に、あるいは社会のある仕組みに任せることであり、人を受け身で無力な存在にしてしまうと述べる。それを受けて13段落で、苦労を苦労としてそのまま引き受けることの中にこそ、人として生きることの意味が埋もれていると述べる。「自分とは何か」という問いの答えも、「他の人たちとの関わりの中でこそ、具体的に浮かび上がってくる」とまとめている。13段落の神学者の引用文は、筆者の考えを補強するために引用されている。

〈本論3〉の要約
苦労を苦労としてそのまま引き受ける中にこそ、人として生きる意味がある。「自分とは何か」という自分が存在する意味も、人と支え合い、人と応じ合う等他の人たちとの関わりの中で明らかになる。（91字）

【結び】（14～16段落）柱は、14

14段落で、他の人と関わり合い、弱さを補い合うからこそ人は倒れずにいられ、自分が存在する意味を感じながら生きることができるとまとめを述べている。15～16段落は、「パンセ」からの引用である。なお〈結び〉の要約は、〈本論1〉～〈本論3〉のまとめでもあり、全体の要旨にもなっている。15～16段落は引用のため、

〈結び〉の要約（全体の要旨）には入れない。

〈結び〉の要約（全体の要旨）
苦労を苦労として引き受け、他の人と関わり合い、弱さを補い合うからこそ、人は倒れずにいられ、自分が存在する意味を感じて生きることができる。「誰かの代わりに」という思いが常に求められる理由はここにある。（99字）

(4) 吟味よみ

〈本論2〉において、「自立」とは、「独立（誰かに依存してない）」という意味ではなく、相互に依存し合うという意味の「支え合い」ととらえることだと述べている。「責任」も、訴えや呼びかけに応じ合うことであると、今までとは異なる筆者独自の考えを示しているところに驚かされる。

困難なことにぶつかったら、人は免除されたいという思いが働くのは無理がないが、免除されるというのは、他の人に任せることになり、受け身で無力の存在になるとも筆者は述べている。これも今までとは異なる筆者独自の考えであり、なるほどと納得させられる考えである。

ただし述べている内容が哲学的で、述べ方も抽象的でわかりにくいところがある。

13段落の、「人生には超えてはならない、克服してはならない苦労がある。」という神学者の引用文の意味がわかりにくい。一般的には、苦労は努力によって克服するものであると理解される。しかしこの引用文は、苦労を克服することがよくないといった意味にも読みとれてしまう。この文章は、苦労を避けるのではなく、真正面から立ち向かうことの大切さを述べているのである。

〈結び〉に、パスカルの著書「パンセ」を引用している。余韻を持たせ、読者に判断を委ねるという効果はあるが、読者にはわかりにくく、ストンと落ちない。人間の弱さを知っている人こそが、自立し、常に「誰かの代わりに」という思いを抱いている人であるという筆者の考えを、もう少し直接的に述べた方が理解しやすかったのではないだろうか。

題名の「誰かの代わりに」は、困難や苦労があったときに、他の人との支え合いのネットワークをいつでも使えるという意味である。つまり困難や苦労を独りで抱え込まないでいいということである。また、時と事情に応じて支える側に回る用意も必要であるということも意味している言葉でもある。しかし一般的に「誰かの代わりに」というと、苦労や困難を誰か他の人に、全部任せて、自分は免除してもらうという意味で使われることが多い。その意味で考えると、ここでの「誰かの代わりに」という言葉は、一般的な意味とは逆の意味で述べられており、読み間違いに注意する必要がある。

(5) 対話的な授業づくりのための発問例

●〈序論〉を読みとる

発問1 〈序論〉はどこまでか?
発問2 問題提示はある?
発問3 話題提示は、何段落にどのように書かれている?

問題提示はない。3段落に、今の社会は自由が保障されているが、自由があるからこそのしんどさがついて回ると話題提示を述べている。したがって、1〜3段落が〈序論〉である。

●題名を検討する

発問1 この文章でいう「誰かの代わりに」とは、どういう意味か?
発問2 普通「誰かの代わりに」というと、どういう意味になるか?
発問3 この文章の題名は、「誰かの代わりに」でよいか?

ここでいう「誰かの代わりに」というのは、困難や苦労があって独力で生きていけなくなった時に、他の人との支え合いのネットワークをいつでも使えるという意味である。つまり困難や苦労を独りで抱え込まなくていいということである。また、時と事情に応じて支える側に回る用意も必要であるということも意味している。一方、一般的に「誰かの代わりに」というと、苦労や困難を誰か他の人に全部任せて、自分は免除してもらうと意味で使われることが多い。そう考えると、ここでの「誰かの代わりに」という言葉は、一般的な意味とは逆の意味で述べており、誤解のないように気をつける必要がある。

10 『絶滅の意味』 中静 透

（東京書籍 3年）

(1) 教材の説明と文種

現代における生物の絶滅が、なぜ問題なのかを、絶滅のスピードと原因・絶滅が生態系に与える影響・絶滅してもかまわないものがいると考えることの危険性の三点にわたって述べる。二十七段落からなる全体としては並列型の論説文。

(2) 構成よみ

4段落に問題提示があり、「現代の絶滅がどうして問題」なのかと述べる。5段落以降でそれに対し大きく三つのことを述べている。全体のまとめを述べているところはなく〈結び〉はない。したがって、〈本論〉は三つに分かれる。〈本論1〉は、5段落で現代と過去の絶滅の大きな違いを「スピードと原因」であると述べ、10段落でまとめる。〈本論2〉は、11段落で「生物の絶滅は、私たち人間に何か影響を及ぼす」のかと小さな問題提示を述べ、14段落まででその前提となる生態系の仕組みを説明し、15段落から生態系がもたらす恩恵を述べ、20段落で結論づける。〈本論3〉は、21段落で「絶滅してもかまわない生物もいるのではな

序論	本論					
4～1	27 ～ 5					
	本論1 10～5	本論2 20～11				本論3 27～21
		11	14～12	19～15	20	
問題提示	現代の絶滅は、そのスピードと原因に問題がある	生物の絶滅は、人間に影響を及ぼすのか（小さな問題提示）	生態系の仕組み	生態系がもたらす恩恵	11段落の問いに対する答え	「絶滅してもかまわない生物もいる」ことへの反論

構成表

いか」と問題を投げかけ、それへの反論を22～27段落で述べる。

4段落の問題提示に対して、三つの答えを述べるという意味では並列型である。〈本論〉の各まとまりは、それぞれ初めで問いを示したり、結論を示したりしており、述べ方は異なっている。細かく見ていくと、〈本論1〉は、最初に結論を述べる結論提示タイプ、〈本論2〉は二つの問いがあるので小問タイプ、〈本論3〉は一つの問いに三つの答えを述べる並列型となる。

(3) 論理よみ

【序論】（1～4段落）

4段落④文で「現代の絶滅がどうして問題」なのかと問題提示している。1段落で「生物の絶滅」の話題を提示し、2段落でトキ・オオカミなど日本における絶滅の例をあげる。3段落で表を示しながら日本の野生生物の絶滅、絶滅危惧種の数を示し、4段落の問題提示につなげている。

4段落①文の「しかし」は、逆接ではなく、現在と過去とを対比するためのものである。単に、現代の絶滅について述べるのではなく、過去の絶滅と比較して述べることで、現代の絶滅の問題点が浮かび上がるように問題提示している。

【本論1】（5～10段落）柱は、5

〈本論1〉は、5段落で結論を示し、それ以降でそれを詳しく説明している。5段落の「スピードと原因」の中身は後に述べられているので、それを補って要約する必要がある。

6段落で絶滅のスピードについて、恐竜の時代には千年に一種くらいであったものが、一六〇〇～一九〇〇年の三〇〇年間は、四年に一種と、絶滅のスピードが速くなっている（計算すると二五〇倍の速さになる）と述べる。7段落で過去の絶滅の原因は、火山の大噴火や隕石の衝突などによる環境変化であったが、現代は人間が引き起こしたことが原因だと述べる。[6]・[7]段落ともに、過去の絶滅と現代の絶滅を比較して述べている。人間が引き起こした現代の絶滅の例として、[8]段落で北アメリカのリョコウバト、[9]段落で日本のアマミノクロウサギの例をあげる。リョコウバトは絶滅し、アマミノクロウサギは絶滅が危惧される例である。例のあげ方にも工夫が見られる。

[10]段落「このように」は、[7]〜[9]段落を受けている。スピードのことは述べておらず、〈本論1〉のまとめとするにはやや不十分といえる。また[10]段落がなくとも、〈本論2〉への展開には支障がないようにも思われる。しかし、[10]段落があることで、「人間の行為が生物に大きな影響を与え、絶滅までも引き起こしている」と、現代の絶滅が人間の行為に起因していることを筆者が大きな問題としてとらえていることがはっきり示される。また、人間の行為に起因するがゆえに絶滅のスピードが速くなっていると考えてよいのではないだろうか。

〈本論1〉の要約
現代の絶滅は、過去の絶滅に比べスピードが速くなり、人間の行為が原因となって起こっている。（44字）

【本論2】（[11]〜[20]段落）柱は、[20]

[11]段落①文が〈本論2〉の問題提示である。[12]〜[14]段落で生態系の仕組みを説明し、[15]〜[19]段落で生態系がもたらす恩恵を四点述べ、それを受けて[20]段落で結論を述べる。

[11]段落②文「『生態系』の仕組みについて知る必要がある」を受け、[12]段落①文で生態系を説明し、②文で生態系において、全ての生物は「互いに影響し合ってバランスを保っている」と述べる。③〜⑥文がその詳しい説明となる。それを[13]段落で「結び付き」と表現し、ある生物の絶滅によってその結び付きが崩れてしまうと述べる。[14]段落「このように」で[12]・[13]段落をまとめ、「個々の生物は生態系に支えられて生存している」

とし、人間も生態系の一員であると述べる。

15段落で生態系が人間にもたらす恩恵とは何かと小さな問題を提示し、16～19段落で四点述べている。この述べ方は並列型といえる。第一から第三までのものは、人間が得ている具体的なものであるのに対し、第四は文化との関わりを述べる。16段落では酸素や土壌などの「生存に不可欠な基盤」、17段落「環境を調整する働き」、18段落「人間生活にとって重要な資源」と、重要度の高いものから述べている。それに対し、19段落は「地域の文化を形作るのに、大切な役割」と異なる観点から述べる。20段落「このように」で、12～19段落を受けて生態系は、「人間にも多大な恩恵をもたらしている」とまとめ、だから「生物の絶滅の問題を、人間に影響のないものと安易に考えて見過ごしてはならない」と結論づける。

〈本論2〉の要約

個々の生物は生態系に支えられて生存しており、人間もその一員である。生態系は、酸素や土壌などの生存に不可欠な基盤、環境を調整する働き、人間生活にとって重要な資源をもたらすと共に、地域の文化を形作るのに大切な役割を果たしており、生物の絶滅の問題を人間に影響のないものと考えてはならない。

（141字）

【本論3】（21～27段落）柱は、22・26・27

21段落で「絶滅してもかまわない生物もいるのではないか」と述べ、それに対する反論を22～27段落で展開している。反論は三つに分かれる。22段落で「ある生物の絶滅が生態系にどれくらいの影響を与えるか」の予測は難しいと述べ、23・24段落で「一種類の生物の絶滅が他の生物の絶滅を連鎖的に引き起こす」としてラッコの例をあげ、25段落で再度まとめる。26段落で「現時点では発見されていなかったり」「有用とは考えられていなかったりする」生物の資源としての可能性をあげる。27段落で絶滅の不可逆性を述べる。この三つの反論の述べ方も、並列型である。22～25段落は、ラッコの例をあげることでわかりやすい。それに対して26段落は将来のことであり、例をあげることが難しい。わかりやすいものを先に述べているといえる。

27段落は、〈本論3〉「絶滅してもかまわない生物もいる」ことへの反論の一つであるが、絶滅が不可逆的であることは、絶滅の根本にある問題といえる。全体の〈結び〉ではないが、27段落が文章全体のまとめ的な役割をも果たしていると見ることもできる。

〈本論3〉の要約

絶滅してもかまわない生物もいる、と主張する人がいるが違う。理由として、一つは、ある生物の絶滅が生態系に与える影響を予測することは難しいからである。二つ目は、現時点では発見されていなかったり、人間にとって有用とは考えられていなかったりする生物も、将来人間の生存に役立つ可能性があるからである。三つ目として、生物の絶滅は不可逆的だからである。（169字）

〈本論1～3〉で三つのことを述べており、三つの内容を合わせたものが全体の要旨となる。

（全体の要旨）

現代の絶滅は、人間の行為が原因であり、速いスピードで起こっている点に問題がある。生態系は、人間にも多大な恩恵をもたらしており、絶滅の問題が人間に影響のないものと考えてはならない。絶滅してもいい生物もいるという主張は間違いだ。理由は、それが生態系に与える影響を予測することは難しく、現時点では発見されていなかったり、有用と考えられていなかったりする生物も人間に役立つ可能性があり、絶滅が不可逆的だからである。（202字）

(4) 吟味よみ

・4段落「過去にも絶滅は起こっていることを考えると、現代の絶滅がどうして問題なのだろうか。」と過去の絶滅と比較した上での問題の提示の仕方は、多くの人が疑問に思うことでもあり、生徒の興味関心を引くものとなっている。

・「現代の絶滅がどうして問題」なのか、ということであれば〈本論1〉だけでも十分ではないか。なぜ筆者は〈本論2〉〈本論3〉の内容まで述べたのかを考えることで、〈本論1〜3〉の関係を読みとることができる。〈本論2〉は、人間が生態系から受ける恩恵を述べることで、生物の絶滅が人間の生活に大きな関わりを持っていることが示される。〈本論3〉は、絶滅してもかまわないものがいると安易に考えることができないことを述べている。〈本論2〉は、人間の生活が生物の生態系と密接に関わっていることを述べることで、絶滅の問題が人間の問題であることを明確に示している。〈本論3〉は、生物の絶滅が人間の未来に関わる問題であることを述べる。この文章は、現代の絶滅の問題だけでなく、生物の絶滅が人間の生活と密接に関わり、人間の未来の生活をも左右する問題でもあることを述べているのである。

・〈本論3〉で、絶滅してもかまわない生物もいると主張する人をあげる。そして、それに対して反論を述べる。自分の主張に対して想定される反対意見を取り上げ、それに反論しているのである。このような述べ方が、筆者の主張をより厚みのある説得力のあるものにしている。

・⑲段落で「生態系はそれぞれの地域の文化を形作るのに、大切な役割を果たしている」と述べられ、文化の問題に踏み込んでいる。この前後は、生物の問題として述べており、やや異質な感じがある。筆者のものの見方・考え方の広さが示されているところともいえる。ただ、植物や動物が文化と密接につながっていることは理解できるが、「こうした生物を失うことは、その地域の文化そのものを失うことに等しいといえる」の具体例が示されるとこの問題がより身近に感じられるのではないだろうか。文化の問題にまで広げて述べていることは評価できるものの、絶滅と関わる例示があるとよりわかりやすかったのではないだろうか。

(5) 対話的な授業づくりのための発問例

●『絶滅の意味』の構成（序論―本論―結び）を考える

発問1　問題提示はどこにある？
発問2　〈結び〉はどこから？
発問3　〈本論〉はいくつに分けられるか？

この文章には〈結び〉がない。あるものを読みとるのに比べて、ないことを読みとることは難しい。[27]段落を〈結び〉とする意見が出される可能性もある。[27]段落の「更に一言付け加えるなら」が何に付け加えられたものかを検討することである。〈本論1〜3〉で述べてきたことに対しての付け加えなのか、〈本論3〉の中での付け加えなのかである。また[4]段落の問題提示と照らし合わせてみると、「絶滅は不可逆的である」のは現代に限ったことではない。つまり、[4]段落の問題提示に対する直接の答えの一部ではなく、[21]段落の「絶滅してもかまわない生物」に対して、述べられているといえる。

●〈本論1〉の現代の絶滅の例を検討する

発問1　リョコウバトとアマミノクロウサギの二つの例の共通点はどこにある？
発問2　二つの例の違いはどこにある？

リョコウバトは、すでに絶滅したアメリカの事例である。アマミノクロウサギは、まだ絶滅には至っていない日本の事例である。アメリカの例をあげることで、生物の絶滅が日本だけの問題ではないことが明確になる。また日本の事例は読者（日本の子どもたち）にとってはより身近といえる。また、絶滅危惧の生物を例にあげることは、今ならまだ絶滅を食い止めることができることをアピールすることにもなる。[27]段落で「絶滅は不可逆的」と述べているが、絶滅した生物は復活させられないが、絶滅危惧の生物はこれからの取り組み次第で絶滅を防ぐことが可能である。

●〈本論1〉〈本論2〉〈本論3〉の三つの内容の関係を考える

発問1　〈本論1〉〈本論2〉〈本論3〉の要約を比べてみよう。
発問2　〈本論1〉だけで十分ではないか？　〈本論2〉〈本論3〉を述べる必要はあった？

4段落の問題提示「現代の絶滅がどうして問題なのだろうか。」に対して、〈本論〉で大きく三つのことを述べている。〈本論1〜3〉は並列型といえる。その意味では、述べる順序を変えたとしても、内容の理解ができないわけではない。〈本論1〉がはじめに述べられる理由は、現代の絶滅における最大の問題だからであろう。絶滅のスピードの速さ、人間の行為が原因となっていることの二つは、過去の絶滅とは決定的に異なるものである。それに比して、〈本論2〉は現代だけに限ったことではない。〈本論2〉の絶滅は人間に影響を与えることを受けて、〈本論3〉が述べられている。

つまり、〈本論1〉で現代の絶滅の最大の問題点を述べた上で、生態系という循環の中で絶滅問題をとらえ直して述べているのである。

おわりに

「国語の授業は何を学んでいるのかがよくわからない」といった手応えのなさを指摘する声は昔からよく聞かれます。他方で、「国語科はすべての教科の基本で最も大切である」という意見も盛んに耳にします。このような極端な言われ方をする教科は国語だけだといえるでしょう。原因は教科内容が未だ明らかにされていないことに尽きます。国語の授業の多くが、書いてあることの解説に終わっていないでしょうか？　さらに、その解説は個々の先生の専門性や考えなどに委ねられており、それを生徒に示すことが腕の見せ所であるという見方がないでしょうか？　しかし、そこには「生徒たちが自分で読んでいくことができる力をどう育てるか」という観点が欠けているのではないでしょうか。聞いていて面白い授業というのは確かにあります。ですが「あの先生の授業は面白い」と生徒たちが言うとき、それは、その先生の人柄を表す個性的な「ショー」が展開されているだけなのかもしれません。

本書が示した国語の授業づくりのための観点は、授業で生かせるものを第一に考え整理したものです。小説はどこに目をつけて読んでいけばよいのか。説明的文章はどう読めば深く読んでいくことができるのか。どうすれば批判的に読めるのか。そんな具体的な観点や読み方を子どもたちが自覚していくことで、自立した読みの力を身につけていくことができるのです。

そして、国語の授業はどのようにつくればよいのかと悩んでおられる若手の先生方の教材研究や授業実践に、本書が少しでもお役に立てればよいと思っています。多くの先行研究に学ばせていただきましたが紹介は省きました。出版にあたり、明治図書の木山麻衣子氏のご尽力を賜りました。厚くお礼を申し上げます。

二〇二一年五月

竹田　博雄

【執筆者一覧】

加藤　郁夫（大和大学）
第一章（第1節，第2節3，4，第3節4，第4節1，2）
第二章（第1節1，2，3，4，5，第2節6，10）

永橋　和行（立命館小学校）
第一章（第2節2，第3節2，3，第5節1，2，3）
第二章（第2節4，7，9）

竹田　博雄（高槻中学校高等学校）
第一章（第2節1，第3節1）
第二章（第1節7，第2節3，8）

・長野サークル

中沢　照夫（佐久市立中込中学校）
第二章（第1節6，第2節2）

武田　正道（中野市立南宮中学校）
第二章（第2節1，5）

武田　純志（軽井沢町立軽井沢中学校）
第二章（第2節1）

土屋　大輔（佐久市立浅間中学校）
第二章（第1節6，第2節5）

梅田　浩行（上田市立第五中学校）
第二章（第2節2）

【著者紹介】

「読み」の授業研究会（読み研）・関西サークル

1986年，大西忠治を初代代表として創立され，確かな読みの力を育てるための研究・実践を重ねてきた国語教育の研究会（http://www.yomiken.jp/）。関西サークルは，2005年から活動している。関西サークルの編著に『小学校国語科「言葉による見方・考え方」を鍛える物語の「読み」の授業と教材研究』，『小学校国語科「言葉による見方・考え方」を鍛える説明文・論説文の「読み」の授業と教材研究』（ともに明治図書）がある。

〈編集委員〉

加藤　郁夫（かとう　いくお）

大和大学。大阪大学（非常勤）。「読み」の授業研究会運営委員。著書に『「舞姫」の読み方指導』（明治図書），『日本語の力を鍛える「古典」の授業』（明治図書）などがある。

永橋　和行（ながはし　かずゆき）

立命館小学校。大阪大学（非常勤）。「読み」の授業研究会事務局長。著書に『「おこりじぞう」の読み方指導』（明治図書），共著に『総合的学習の基礎づくり３「学び方を学ぶ」小学校高学年編』（明治図書）などがある。

竹田　博雄（たけだ　ひろお）

高槻中学校高等学校。「読み」の授業研究会運営委員。主な論考に『評論文の「構造よみ」は問題を解くことに活かせるか？』（読み研『研究紀要12』），『物語・小説の「吟味と批評」の教材研究をきわめるための方法とスキル』（学文社『国語授業の改革18』）などがある。

中学校国語科「言葉による見方・考え方」を鍛える
小説・説明文・論説文の「読み」の授業と教材研究

2021年６月初版第１刷刊　©著　者「読み」の授業研究会・関西サークル
発行者　藤　原　光　政
発行所　明治図書出版株式会社
http://www.meijitosho.co.jp
（企画）木山麻衣子（校正）丹治梨奈
〒114-0023　東京都北区滝野川7-46-1
振替00160-5-151318　電話03(5907)6702
ご注文窓口　電話03(5907)6668
＊検印省略　組版所　藤　原　印　刷　株　式　会　社

Printed in Japan　ISBN978-4-18-345417-1